나를 위한
글쓰기
수업

강가희 지음

SNS에서 에세이까지
생활 글쓰기 지침서

나를 위한
글쓰기
수업

모요사

글쓰기라는 외로운 사냥꾼

길지 않은 내 인생을 돌이켜 보았을 때, 가장 글을 많이 쓴 때는 독일에 살았던 5년이었다. 그 기간에 나는 일기와 각종 SNS, 서평, 칼럼, 책 등 쓸 수 있는 것이라면 뭐든지 가리지 않고 썼다. 하릴없이 목적 없는 메모들을 끄적이기도 했다. 생애에서 미치게 외로웠던 5년의 결과물이었다.

독일은 외로운 나라였다. 독일의 '독'은 무조건 고독의 '독獨'일 거라 믿어 의심치 않았다. 누군가 내게 독일이라는 나라의 배경 음악을 선곡하라고 한다면 일말의 고민 없이 버스커 버스커의 〈외로움 증폭 장치〉를 선택하겠다. 울울하고 스산한 마음이 증식할수록 쓴 글들도 쌓여 갔고, 그즈음 블로그를 통해 글쓰기 수업 개설에 대한 문의가 이따금 들어왔다. 어떻게 보면 인터넷으로 만난 수많은 랜선 이웃들이 나에게 글쓰기를 부추긴 셈이다. 나는 그들의 응원과 약간의 호기, 불현듯 떠오른 결심으로 온라인 글쓰기 수업을 개설했다.

에세이스트 이전에 문학비평을 전공했고 방송작가로서의 경력도 꽤 길었기에 실용적인 글쓰기 지도에는 어느 정도 나만의 특화된 교습법이 있을 거라고 생각했다. 물론 그렇다 할지라도 처음에는 매우 자신이 없었다. 과연 누가 나를 믿고 글을 배우려 할까…… 초조함의 나날이었다. 염려와 달리 코로나 팬데믹의 장기화로 온라인 수업이 대중화됐고, 집에서 글을 쓰거나 책을 보는 사람들이 늘면서 기대 이상으로 참가율이 높았다.

그렇게 4년 넘게 글쓰기 수업을 이어오면서 외로움에 몸부림치는 사람이 나뿐만이 아니란 사실에 묘하게 위로받았다. 글을 쓰고 싶어 하는 이들은 대부분 외로운 사람들이었다. 답답한 해외살이, 출산 후 우울증, 사랑하는 사람과의 아픈 이별 등 누구에게나 나만의 슬픔 주머니가 있었다. 속속들이 들여다보면 외롭지 않은 사람이 어디 있겠느냐마는, 글을 씀으로써 스스로 극복하려 했다는 것에 의미가 있었다. 쓰는 행위를 통해 어떻게든 문제를 풀어보려 한 그 절실함에 오히려 내 마음이 따뜻해지는 경이로움을 경험했다.

헤밍웨이는 작가의 소양 중 하나로 '불우한 유년 시절'을 꼽았다. 나는 유년 시절보다 '불우한'에 방점을 찍고 싶다. 직업이 작가라고 해서 매일 글을 쓰고 싶지는 않다. 좋은 날보다는 슬픈 날, 울적한 날, 스스로가 미치게 못나 보이는 날, 그런 날에 글이 쓰고 싶어진다. 누구에게도 말 못 할 속내를 정리하고 싶을 때, 복잡한 생각들을 털어버리고 싶을 때, 어떻게 해서든 스스로 한 발자국 나아가고 싶을 때, 그럴 때면 무슨 말이든 써 내려갔다. 울프의 격려에 기대어.

서두를 필요 없어요.
반짝일 필요 없어요.
자기 자신 말고는 다른 사람이 될 필요 없어요.●

● 버지니아 울프, 임영빈 옮김, 「자기만의 방」, 반니, 2020년.

천천히 나에게 다가간다. 차곡차곡 쌓아두었던 이야기를 쏟아낸다. 그러다 보면 내가 썩 형편없어 보이지만도 않다.

글이 써지지 않을 때 작가들은 여행을 떠나거나 책을 읽거나 쇼핑을 하는 등 각자의 방식으로 글쓰기와 거리두기를 하려 한다. 나는 최대한 외로워지려고 애쓴다. 외로운 음악을 틀고, 외로운 조명을 켜고, 외로운 나 혼자만의 방에 갇히려 한다. 외로움에 에워싸이다 보면 외로움의 틈을 비집고 무언가가 올라온다. 어떻게든 치고 올라온 어떤 외로움에 기대어 글을 쓰기 시작한다.

외로움은 글쓰기를 부추긴다. 내 이야기를 들어줄 사람이 부재할 때, 혹은 타인에게서 이해받지 못할 때 우리는 글을 쓴다. 알랭 드 보통은 『젊은 베르테르의 기쁨』에서 "저술 행위란 주변 사람들에 대한 실망으로부터 자극받은 결과물"이며, 그 결과물은 "다른 누군가는 이해해줄 것이란 기대감으로 고무되어 있다"◆고 했다. 역설적으로 수많은 저자가 고민을 털어놓을 사람을 발견하지 못한 까닭에 오늘날 우리는 명작을 읽을 수 있게 된 셈이다. 그러니 "서점이야말로 외로운 사람들에게는 가장 소중한 행선지"◆다.

● 알랭 드 보통, 정명진 옮김, 『젊은 베르테르의 기쁨』, 생각의 나무, 2002년.
▲ 위의 책.

글쓰기는 가장 가까운 '그'에게조차 말하지 못한 내밀한 나의 마음을 불특정 다수에게 전하는 행위다. 아무에게도 말하지 못한 상념들을 인터넷이라는 무한의 바다에 퍼뜨려 놓으면 이상하게 마음이 편안해졌다. 그런 면에서 글을 쓰는 혹은 쓰고 싶어 하는 사람은 은둔자인 동시에 관종이다. 홀로 글을 쓰지만 완성된 내 글을 다수가 읽어주길 바라니까.

글의 적은 행복이다. 지금 행복하다면, 행복해서 미칠 지경이라면 글 따위는 쓸 필요가 없다. 일생일대의 호시절을 오롯이 즐기기도 부족한데 굳이 골머리 싸매며 시간을 할애할 이유가 있을까. 우리들의 글은 기꺼이 당신의 행복에 양보할 아량이 있다. 반대로 지금 불행하다면, 마음이 사무치게 외롭다면 글을 써야 한다. 당장. 글쓰기라는 외로운 사냥꾼이 되어 방아쇠를 당겨야 한다.

세상의 모든 호모 스크리벤스^{Homo scribens}를 위하여!

강가희

차례

프롤로그 글쓰기라는 외로운 사냥꾼   5

1 쓰기라는 본능
기본기 다지기

엄마의 꿈을 베어 먹고 이룬 작가라는 꿈   15

     글쓰기의 시작은 관찰   23

'나'라는 우주를 탐험하는 시간   29

     글감 찾기   34

죽비가 내려준 '언어'라는 세계   39

     어휘력 만렙을 위한 유의어   44

매일 첫 문장 앞에 서성이는 사람, 라디오 작가   49

     깜빡이는 커서를 움직이는 첫 문장 쓰기   57

성격이 문체를 만든다   68

     문장 근육 강화의 특효제 '필사'   74

불안함은 접속사 낭비를 낳는다   83
    깔끔한 문장을 위한 다이어트 원칙   87

시적인 왈츠 : 격정과 평화, 기본과 기교의 멜로디   95

자연에게 빌려 쓰는 결말   104
    식상한 결말의 감옥에서 탈출하기   111

2   집필 노동자의 생계형 글쓰기
실용 글쓰기

감각을 동원해 감응을 이끌어내는 일   121
    그리는 글쓰기   136

며칠 밤을 울면서 쓴 고故 김현식   140

맛 표현의 교과서 〈6시 내 고향〉과 백종원   147
    맛 표현 연습 식단   157

내 글은 얼마짜리일까? —7천 원에서 2천만 원까지   159
    가독성을 올려주는 간결한 문장 만들기   166
    크몽으로 반찬값 버는작가의 윤문 팁   175

살아남고 이겨내고 일어서는 것   187
    기록과 수익의 평행 이론, 블로그 왕초보를 위한 가이드   197

코끼리는 생각하지 마!   207
    프레임 글쓰기 연습   215

3 퇴사, 육퇴, 은퇴를 위한 임전무퇴
에세이

온전히 나 자신을 위한 일   221

에세이와 일기는 무엇이 다를까?   229
   에세이 구성 3단계   235

최초의 독자를 만나는 시간   241
   함께 읽고 쓰고, 합평   246

쓰는 사람으로 살고 싶어서   248
   내 이름으로 된 첫 번째 책, 투고와 출판   258

너무나 평범해서 너무나 시적인 삶   266
   글쓰기 루틴 만들기   271

에필로그 삶에 지지 않는 용기   275
감사의 말   278

쓰기라는
본능

기본기 다지기

어렸을 때부터 하고 싶은 것이 많았다. 이것저것 시켜 달라는 말을 돌림노래처럼 했다. 하고 싶은 건 어떻게 해서든 하고야 마는 성미 탓에 가끔은 주변인, 더 정확히 말하면 부모님을 힘들게 만드는 고집스러운 아이였다.

대학 졸업 후에도 배움에 대한 갈증은 여전했다. 좀 더 본격적인 글쓰기를 해보고 싶었다. 나는 계획적인 사람은 아니다. 대체로 즉흥적으로 결정하는 편이고 실행이 빠른 쪽이다. 새해 계획을 세워본 적은 한 번도 없지만, 일주일 치 계획은 다이어리에 빼곡했다.

대학원 진학 역시 빛의 속도로 움직였다. 우리나라에서는 문예 창작으로 유서 깊은 대학이었다. 가고 싶었다. 결단이 섰으면 달려야 했다. 입학 일정이 얼마 남지 않아 벼락치기 하듯 준비했고, 뜻밖에도 합격했다. 스스로 확신이 없어 집에는 미리 말하지 않았다.(왠지 이런 건 누설하면 실패할 것만 같았다.) 합격 통보를 받고 나서야 한껏 고무된 상태로 엄마에게 전화를 걸었다. 감격에 겨워 대학원 합격 소식을 전했으나, 예상과 달리 엄마는 이상하리만치 조용했다. 잠시의 정적 끝에 수화기 너머로 뜻밖의 반응이 날아왔다.

"등록금이 얼만데?"

"……."

"너는 왜 엄마랑 상의 한 번 없이 매번 일을 저지르니? 다 조금씩 참고 사는 거야. 적당히 형편에 맞춰서. 너는 어쩜 적당히를 모르니."

그 상황에서 응당 나는 잘못을 인정하고 협상을 하는 것이 맞았겠으나 서운함, 아니 서러움이 앞섰다. 그것은 슬픔의 결이 아니었다. 억울함이라고 하기 어려운 자본주의가 주는 어떤 비참함이었다. 나는 지지 않겠다는 듯 고성을 내질

렀다.

"엄마는 나한테 해준 게 뭐가 있는데?! 이렇게 키울 거면서 왜 낳았는데? 공부하겠다는 게 죄야? 내가 알아서 할 테니까 끊어!"

나는 전생에 목수였을까. 엄마 가슴에 대못을 박았다. 이미 크고 작은 못들을 콩콩콩 박았는데 뽑아내기는커녕 이번엔 특대로 쾅쾅쾅 망치질을 해댔다. 집안 형편을 모르고 있었던 것도 아니다. 동생이 대학을 다니기 시작하면서 엄마의 등골은 이미 휠 대로 휘어 있었다.

엄마의 표현은 정확했다. 나는 내 마음대로 사는 사람이었다. 뭐든지 내가 우선순위였다. 그럼에도 뭐가 그리 서러웠는지, 전화를 끊고 책상에 엎드려 한참을 울었다. 가난이 슬펐던 건지 엄마한테 못되게 군 나한테 화가 났던 건지 정확히 알 수 없는 복잡한 울부짖음이었다. 머리로는 내가 잘못했다는 것을 알았지만 다시 전화를 걸고 싶지는 않았다. 딱히 할 말이 없었고 계면쩍었다. "엄마는 하고 싶은 게 없는 줄 아냐"는 그 말만이 눈치 없이 여름 내내 울어대는 매미마냥 연신 머릿속을 맴돌았지만, 대학원에 못 갈 수도 있다는 불안함이 그 소리를 덮었다. 나는 뼛속까지 내 생각뿐이었다.

한바탕 난리를 피우고 어렵사리 집에서 보태준 돈과 내가
모아놓은 돈을 긁어모아 대학원에 진학했다. 입학하자마자
등록금을 충당할 방법을 찾아다녔다. 그 당시 방송작가로 일
을 하고 있었지만 내 월급은 2백만 원이 채 안 됐다. 아무리
머리를 쥐어짜도 서울에서의 생활비를 충당하며 한 학기에
5백만 원에 달하는 등록금을 마련할 방법이 없었다. 그때 눈
에 들어온 것이 도서관 사서 모집 공고였다. 조교를 하면 등
록금의 80퍼센트가 면제였다. 게다가 일하면서 책까지 읽을
수 있다니! 꼭 붙잡아야 하는 선택지였다. 문헌정보학과 학
생들이 대거 지원하는 통에 떨어질 줄 알았으나 운 좋게 합
격하면서 등록금 문제는 해결됐다. 이런 걸 보면 신이 나를
버리지 않는 것도 같다.

수업을 듣고 사서 일을 병행하는 틈틈이 방송 대본을 썼
고, 밤에는 논문을 썼다. 생활비를 최대한 아껴야 해서 겨우
내 한 몸 누일 수 있는 흑석동 고시원에 살았다. 라면, 김치,
밥이 무제한으로 제공된다는 점도 이곳을 택한 이유 중 하나

였다. 이틀에 한 번 꼴로 라면을 먹었다. 외식은 한 달에 한 번 조교 회식으로 대체했다. 아직도 그 맛이 기억난다. 조교들끼리 도서관 귀퉁이에 앉아서 먹던 파파존스 포테이토 피자. 나에게는 유일한 특식이었던 그 음식.

고시원은 한 평 남짓했다. 그 비좁은 공간에 냉장고며 책상, 침대가 다 들어차 있다는 게 신기했다. 이곳만의 문화가 있었고 남녀가 층별로 나뉘어 있음에도 왕래를 하며 연애가 이루어진다는 것도 재미있었다. 다음에 시나리오로 써볼까 하는 상상도 했더랬다.

궁색함 가운데서도 흥미로운 감정이 더 크게 일었던 것은, 그때가 내 인생에서 가장 가난한 시절이었음에도 불구하고 한 번도 비루하다고 생각해본 적이 없었기 때문이다. 나는 "빈곤 속에서 살고 있었으나 또한 일종의 즐거움 속에서 살고 있었던 것이다. 나는 무한한 힘을 나 자신 속에서 느끼고 있었다. 그러한 나의 힘들을 가로막는 장애는 가난이 아니었다. 장애가 되는 것은 오히려 편견과 어리석음이었다".• 진정으로 글을 배울 수 있음에 환희로 넘쳐나는 시절이었다. 한 평이 주는 희망의 크기는 무한대였다.

• 알베르 카뮈, 김화영 옮김, 「안과 겉」, 『디 에센셜: 알베르 카뮈』, 민음사, 2022년.

배움에 대한 열의로 매일이 빛나던 어느 날, 현대문학비평 시간이었다. 박완서의 『그 남자네 집』을 읽었다. 작가 역시 가정주부로 살다가 마흔에 등단했다. 엄마가 불쑥 내뱉은 그 말이 떠올랐다. "엄마는 하고 싶은 게 없는 줄 아니?!"

나는 늘 꿈을 꾸었고 꿈을 이루기 위해 살았다. 정작 엄마의 꿈은 무엇인지 물어본 적이 없다. 뜬금없이 엄마에게 전화를 걸었다.

"엄마는 어렸을 적 꿈이 뭐였는데?"

"얘는 새삼스레 뭘 그런 걸 물어보니? 사람 민망하게."

한참 뜸을 들이던 엄마는 이야기를 이어 나갔다.

"나는 미용사, 미용사가 되고 싶었어. 어릴 때 미용 연습하려고 젓가락을 불에 달궈서 머리카락에 돌돌 감았거든. 외할머니한테 혼도 많이 났지. 아, 맞다. 한번은 불이 잘못 붙어서 내 머리를 홀딱 태워 먹은 적도 있어. 그때 외할아버지가 쟤 머리 다 밀어버려야 된다고, 당장 삭발시키라고 노발대발하시며 어찌나 소리를 질러대시던지……. 지금 생각하니 다 추억이다."

고데기가 흔하지 않던 시절, 젓가락을 불에 달궈 미용사

놀이를 하던 엄마를 상상해보았다. 잘 떠오르지 않았다. 나에게 엄마는 처음부터 엄마였으니까. 동시에 처음으로 자각했다. 엄마에게도 엄마 이전의 시절, 꿈 많은 십 대가 있었다는 걸.

"후회되지 않아? 늦게라도 배우지 그랬어?"

"너네 키우려면 당장 일을 구해야 하는데, 그거 배울 시간도 없었지."

견딜 수 없었다. 엄마의 꿈 따위 안중에도 없던 내 무심함이 부끄러워서. 엄마도 처음부터 엄마로 태어난 것은 아니다. 다만 그 역할을 잘 해내서 모두가 깜빡 속았을 뿐이다. 엄마는 천성이 엄마인 줄 알았다. 내 꿈만 귀한 줄 알았다. 내목표를 위해 암묵적으로 엄마에게 희생을 강요했다. 이 글을 쓰는 나는 또 한 번 엄마에게 빚을 지고 있다. 엄마 이야기로 글을 쓰고 있으니.

가끔 글이 잘 안 써질 때면 가난했지만 어느 때보다 마음은 풍요로웠던 그 시절, 엄마의 꿈을 처음 알게 된 그 순간을 떠올려보곤 한다. 그러곤 마음을 다잡는다.

엄마의 꿈을 먹고 내 꿈을 이뤘다.

그러니 나는……

계속 써야 한다고…….

쓰는 사람으로 살아야 한다고.

글쓰기의 시작은 관찰

들어갈 수 있을까? 많은 이가 글쓰기라는 문 앞에 서 서성인다. 동시에 질문을 품는다. 과연 평범한 내 삶이 글이 될 수 있을까? "에잇, 책은 전업 작가들이나 내는 거지, 나 같은 평범한 사람의 인생이 글이 될 수 있겠어?" 시작에 앞서 숱하게 망설이는 가장 큰 이유는 '주제'이다. 과연 나에게 글로 쓸 만한 글감 자체가 있을까.

자세히 들여다보면 우리 모두의 인생에는 희로애락이 있고 각자의 사연이 있다. 때로 찬란하고 때로 쓸쓸한 삶 자체가 한 편의 작품이다. 누구에게나 이야기는 있다. 다만 발견되지 못했을 뿐. 숨겨진 나를 찾아보자. 글쓰기의 시작은 '관찰'에서 출발한다.

1. 관찰: 나

　보통 사람이 하루에 쓰는 단어는 1만 6천 개 정도이다. 이 가운데 나를 위한 단어는 얼마나 사용할까. 글쓰기 수업에서 내가 좋아하는 것과 싫어하는 것에 대해 적어보라고 하면, 의외로 답이 쉽게 나오지 않는다. 특히 어린이보다 성인일수록 고민하는 시간이 길어진다.

　글쓰기는 나를 관찰하고 나를 설명하는 것에서부터 시작한다. 내가 평소 제일 자주 보는 이는 누구일까? 바로 '나'다. 나 자신을 찬찬히 들여다본다. 생김새부터 무엇을 좋아하는지, 싫어하는지, 어떤 인생을 살아왔는지, 유년 시절은 어땠는지, 나에 대해 고찰해보고 관찰한다. 많은 작가의 데뷔작이 자전적인 글임을 상기하자. 글은 나로부터 나온다. 나를 관찰하는 것은 곧 나를 알아가는 길이기도 하니까.

2. 관찰: 가족, 친구, 주변인, 불특정 다수

'나' 다음으로 주변인이 있다. 그 범주는 가족, 연인, 친구 등 다양하다. 그들과 나의 관계를 관찰해본다. 분명 사람은 저마다 특징이 있다. 꼭 친밀한 사이가 아니더라도 항상 커피에 설탕 세 스푼을 타는 할머니, 매일 같은 시간에 개와 산책하는 옆집 이웃까지. 그들과 나의 관계, 주고받은 대화를 통해서도 글감을 길어 올릴 수 있다.

3. 관찰: 자연

괴테는 "장미꽃이 있으면 시를 지을 수 있다"●라고 했다. 대부분의 작가들은 자연에서 영감을 얻는다며, 자연이야말로 글쓰기의 원천이라고 말한다. 초심자에게는 참 허무맹랑한 소리로 들릴 수 있겠으나, 돌이켜 보면 주변의 많은 관용구와 단어들이 자연과 연결되어 있다. 우리는 인생을 봄, 여름, 가을, 겨울 사계절에 비유한다. 뻔한 이야기 같지만, 자연의 이치와 삶

● 요한 볼프강 폰 괴테 지음, 가나모리 시게나리, 나가오 다케시 편집,
   박재현 옮김, 『괴테의 말』, 삼호미디어, 2012년.

의 이치는 맞닿아 있다. 자연 현상을 내 생활의 한 부분과 연결 지을 수 있다.

사랑이 시작됐음을 벚꽃 휘날리는 상황으로 표현할 수도 있고, 애정이 식어버린 내 마음을 겨우내 꽁꽁 언 땅이나 호수로 비유할 수도 있다. 이별의 아픔을 나뒹구는 낙엽에 빗대어 볼 수도 있다. 당연한 듯한 자연 현상을 일상에서 내 마음과 생각으로 치환해 보자.

글쓰기를 위한 관찰에는 세 가지가 있다.

① 볼 시(視): 시력
② 볼 견(見): 견학, 견문
③ 볼 관(觀): 관조

눈으로 보고 경험으로 보고 마음으로 보고.

이 가운데 '볼 관觀'은 높은 나무 위의 황새처럼 넓게 '보다'라는 뜻이다. 글을 쓰는 사람이라면 세상을 좀 더 넓은 눈으로 바라볼 필요가 있다. 꽃피는 봄날의 아름다움을 눈으로 보고, 생명을 틔우는 힘찬 느낌을 경험해보고, 모든 것을 마음으로 받아들여본다. 하루에 한 줄이라도 오늘 관찰했던 것을 써본다. 거창할 필요는 없다. 쓰는 습관을 들이는 것이 중요하다. 도무지 생각이 안 난다면 날씨를 주제로 날씨 일기를 쓰는 것도 방법이다. 만약 오늘 하늘이 예뻤다면 그 하늘을 엽서 삼아 누구에게 편지를 쓰고 싶은 마음을 기록해도 좋겠다. 떠오르는 대로 막 써도 괜찮다.

모든 글의 초안은 정제되지 않은 글이다. 비문은 문법적으로 올바르게 수정할 수 있지만, 관찰로 다듬어진 독창적인 사유는 그 누구도 따라할 수 없는 고유성을 지닌다. 좋은 글은 책 속에만 있는 것이 아니다. 지천으로 널려 있다. "문장은 다만 독서에 있지 않고, 독서는 다만 책 속에 있지 않다. 산과 시내, 구름과 새나 짐승, 풀과 나무 등의 볼거리 및 일상의 자질구레한 일들 속에 독서가 있다."•

주변을 지속적으로 애정을 갖고 관찰하다 보면 그동안 보지 못했던, 깊고 다정하고 맑은 것들이 말을

• 홍길주, 정민 옮김, 「수여방필」, 『19세기 조선 지식인의 생각 창고 ― 홍길주의 수여방필 4부작』, 돌베개, 2006년.

걸기 시작하는 경이로운 경험과 조우하게 된다. 그 말을 받아 적기 시작한다. 글쓰기의 시작이다.

노희경 작가는 한 주간지와의 인터뷰에서 "나는 사라지거나 빛을 잃어가는 것들에 현미경을 대고 그 순간을 자꾸만 보려고 하는 사람"*이라고 말한 바 있다. 작가는 그런 사람인 것 같다. '이야기꾼이 아닌 마음 탐구자.' 남들이 눈여겨보지 않은, 지나쳐버린 미세한 작은 것 하나에서 따뜻한 의미를 길어 올리는 사람. 관찰하다 보면 말 없는 일상이 말을 건다. 스마트폰만 보고 걷던 내가 좀처럼 보지 않았던 하늘을 바라보게 되고, 똑같았던 구름이 어느 날은 솜사탕처럼, 어느 날은 별사탕처럼 보이는 진기함. 그 재미를 발견하고 표현하는 것이 글쓰기의 시작이다. 관찰자가 되어 세상을 써보자. 분명 사는 게 재미있어질 것이다.

● 「〈우리들의 블루스〉의 노희경 — 냉소와 천박함이 싫은, 남의 아픔을 보듬는 감각」, 『한겨레21』 제1454호 통권 8호.

'나'라는 우주를 탐험하는 시간

국립국어원의 '현대 국어 사용 빈도 조사'●에 의하면 21세기에 출판된 국내 문학 작품에서 가장 빈번하게 등장하는 단어는 '나'라고 한다. 흥미로운 사실은 21세기 이전에는 자아를 의미하는 '나'가 자주 쓰이지 않았다는 점이다. 이는 집단, 사회 중심적 사고에서 점차 개인의 생각을 중요하게 여기는 시대적 변화를 보여준다. 오늘을 살아가는 현대인에게는 '나'가 소중하고 애틋하고 귀하다. 나를 위한 선물을 하고 나를 위한 투자를 하고 나를 위한 시간을 갈망하는 시대다.

'나는 누구일까.'

● 국립국어원 누리집 https://www.korean.go.kr/

누구나 나를 알고 싶어 한다. MBTI가 유행하는 것도 같은 맥락일 테고, 이런 대중 심리에 편승해 '자아'마저 상술로 이용된다. 인터넷에 '나'를 검색하면 '나는 누구인가'라는 쇼핑 카테고리가 수두룩이 나온다. '나'를 이용한 마케팅은 차고 넘친다. '나를 찾는', '나를 만나는', '나를 위한' 등의 수식어를 등에 업고 몇만 원에서 수백만 원이 결제된다.

한번은 모 대기업으로부터 글쓰기 강연을 제안받은 적이 있다. 강의 타이틀이 '나를 찾는 글쓰기'였는데, 나는 잠시 머뭇거렸다. 어디서 나를 찾아야 할까? 나를 찾는다고 찾아질까? 담당자는 내 반문에 흥미로워했고 주제를 약간 선회해서 강연을 진행한 적이 있다.

우리는 왜 나를 찾고 싶어 할까. 어떤 이는 나를 찾아서 인도까지 간다지만, 인도가 낳은 위대한 선지식 부처는 내 안에 이미 '부처'가 존재한다고 했다. 선문답 같은 이야기이지만, 나는 '나'다. 나는 이미 내 안에 있는데 뭣 하러 찾아 나서야 할까. 이미 존재하는 나를 알려고 애쓸 필요가 있을까. 글을 써서 나를 알 수 있다면 글쓰기를 업으로 삼고 있는 나는 응당 나를 알아야 하겠으나, 여전히 나는 그냥 나일 뿐이다.

우리가 글을 쓰는 이유는 나를 찾는 것이 아니라 나를 만나기 위해서다. 나도 몰랐던 진짜 나, 내가 발견해주길 기다리고 있는 저 구석의 나, 내가 바라봐주지 않은 눈부신 나……. 그러니까 나는 '어떤' 사람인지 알기 위해 글을 쓴다. 어떻게 보면 나는 누구인가가 아닌 나는 '무엇인가'에 대한 답이 글쓰기다. 나는 무엇을 좋아하는지, 무엇을 생각하는지, 종국에는 무엇을 위해 사는지에 대한 답 말이다.

나를 찾으려면 나를 돌아봐야 한다. 유명 작가들의 초기작을 보면 대부분 자전적 이야기를 담고 있다. 아니 에르노처럼 날것 그대로의 경험만을 쓰는 작가도 있다. 같은 이유로 글쓰기를 본격적으로 해보고 싶은 이들에게는 '나'에 대해 써볼 것을 권한다.

'나'라는 주제가 방대하다면 범위를 좁혀보자. 인생 주기를 십 대부터 현재까지 연대표로 그린다. 그다음 기억나는 대로 크고 작은 일들을 단어로 적는다. 글이 될 것 같은 주제나 꼭 써보고 싶었던 기억도 단어의 나열로 끄적여본다. 이것도 어렵다면 비교를 해보자. 학창 시절의 나 vs 어른이 된 나, 결혼하기 전의 나 vs 결혼한 나, 취준생 나 vs 직장인 나,

부모가 되기 전의 나 vs 부모가 된 나, 불행했던 나 vs 행복했던 나…….

글쓰기에서 '비교'는 특징을 드러내는 데 탁월한 기법이다. 마케팅에서도 많이 쓰이는데, 타사 대비 열전도율이 뛰어남, 기존 제품 대비 친환경 원료 사용 등 비교 대상을 통해 자사 제품의 장점이 두드러지도록 어필한다. 소비자는 이 설명을 토대로 또다시 몇 개의 상품을 비교해 제품을 구매한다. 어쩌면 우리는 물건을 비교하느라 바빠서, 나와 타인을 비교하느라 바빠서, 세상이 정해놓은 규칙과 나를 비교하느라 바빠서 정작 나 자신은 비교해보지 못했을지도 모른다. 과거와 지금의 나를 비교해보면 어떤 점이 달라졌는지, 혹은 그대로인지, 앞으로 어떤 내가 되고 싶은지 그려볼 수 있다. 후, 나도 안다. 이렇게까지 했는데도 나에 대한 글쓰기는 쉽지 않다.

"나의 시작점조차 못 찾겠어요. 제 삶이 너무 평범해요."

가끔은 '평범'이란 말이 사람을 참 무력하게 만든다고 느낀다. 우리는 평범이란 말 앞에서 얼마나 자주 주저앉기를

반복했을까. 방송작가를 하며, 글쓰기 선생을 하며 각계각
층의 사람들을 만났다. 거듭 강조하고 싶은 것은 그중 누구
하나 특별하지 않은 생을 살아온 사람은 없었다. 우리네 인
생이 드라마라면 글쓰기는 홀로 쓰는 모노드라마 같은 것
일지도 모르겠다. 누구에게나 무궁무진한 글감이 있다. 다
만 아직 발견되지 못했을 뿐. 아직 밖으로 끄집어내지 못했
을 뿐. 내 안의 도처에서 꿈틀거리고 있다. 만약 평범을 끌어
올려 글을 쓰기 시작했다면 그것은 결코 평범한 행위가 아니
다. 그 자체로 특별한 의미가 된다.

　붓다는 모든 인간에게는 부처의 성품, 즉 불성佛性이 있다
고 했다. 21세기에 문자를 사용할 줄 아는 모든 인간에게는
쓰기의 능력이 있다. 이미 내 안에 나는 존재하니, 나에게는
쓸 수 있는 무궁무진한 소재가 있는 셈이다. 꽁꽁 숨어 있는
나를 끄집어내보자. '나'라는 유일무이한 광활한 우주를 탐
험해보자.

1. 마인드맵

　글쓰기가 막막하다면 제일 먼저 '나' 마인드맵을 그려보자. 내가 좋아하는 것, 잘하는 것, 싫어하는 것, 못하는 것으로 나눈다. 관련 단어를 나열해보고, 점점 소재를 좁혀 가면서 글감을 찾아낸다.

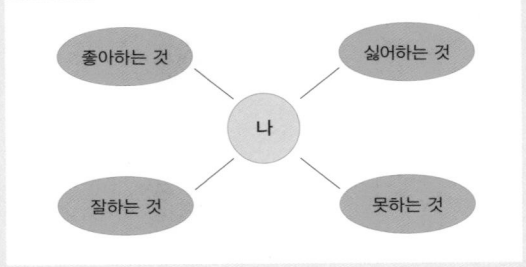

2. 인생 연대기

지금까지 살아온 삶의 중대사를 거시적인 것에서

미시적인 것으로 범위를 좁혀 가며 정리해본다.

10대	20대
30대	40대
50대	60대
70대	80대

3. ○○의 나 vs ○○의 나

특정 시기의 나와 지금 이 순간의 나를 비교해본다.

4. 셀프 질문

쓰는 사람은 늘 '나에 대한 질문'을 품고 살아가야 한다. 그것은 곧 나를 사랑하는 일이기도 하다. 나는 무엇을 좋아할까? 나는 무엇을 싫어할까? 나는 무엇을 잘할까? 나는 무엇을 못할까? 무엇보다 나는 왜 글을 쓰고 싶어 할까? 질문해보자. 글쓰기는 스스로 질문하며 스스로 자각하는 과정이다.

셀프 질문 리스트

스스로 답해보고 질문을 더 만들어보세요.

• 나는 무엇을 좋아하나요?
• 나는 무엇을 싫어하나요?
• 나는 무엇을 잘하나요?
• 나는 무엇을 못하나요?
• 나는 무엇을 추구하나요?
• 나는 무엇을 아끼나요?
• 나는 무엇을 위해 돈을 쓰나요?
• 나는 무엇을 할 때 기쁨을 느끼나요?
• 나는 무엇을 가장 가치 있게 느끼나요?
• 나는 무엇을 꿈꾸나요?

5. 나 들여다보기

나는 이미 있다. 나를 찾으려 하지 말고 나를 자주 들여다보고 관찰해보자. 아무리 내 속에 내가 너무 많아도 내가 가장 잘 아는 소재는 나일 수밖에 없다. 내가 나를 모르면 누가 나를 알까. 끊임없이 내 몸과 마음을 잘 살펴보자.

내가 어떤 상황에 놓였을 때 주로 어떤 선택을 하는지, 어떤 사건을 겪었을 때 어떻게 대응하는 편인지, 사람들과의 관계에서 주로 어떤 역할을 담당하는 사람인지 등을 객관적으로, 즉 나를 타자화해서 관찰해보자. 평소 어떤 사람인지를 직시하고 있는 그대로의 나를 인정하고 받아들였을 때 나를 위한 글쓰기는 시작된다.

그렇다면 나에 대한 관찰을 통해 우린 무엇을 알 수 있을까. 궁극적인 목적은 결국 내 마음의 평화가 아닐는지.

덧없이 변하는 것

관찰할 때 마음은 안정하여 움직이지 않으며

오욕은 구름처럼 사라져버렸네.*

—「붓다차리타」제5장 출성^{出城}

● 강우방 지음, 『반가사유상』, 민음사, 2005년.

하늘 천 따 지 검을 현 누를 황 집 우 집 주 넓을 홍 거칠 황……

요즘은 영어 조기교육이 거의 필수로 자리 잡았다지만 내 어린 시절에 조기교육은 한자였다. 아버지는 이제 막 한글을 뗀 나를 서재에 앉혀놓고 한자를 가르쳤다. 그때는 어릴 때라 암기력이 꽤 좋았는지 『천자문』에서 시작해 『소학』, 사서 삼경까지 뗐다. 나름 동네에서 한자 신동으로 이름났지만 유감스럽게도 지금은 거의 기억을 못 한다. 빨리 익힌 것은 빨리 잊는 법이다.

천지현황天地玄黃 우주홍황宇宙洪荒······.

희끗희끗 떠오르는 건 『천자문』의 첫 소절과, 그 문장에 의문을 품었던 여덟 살의 '나'다. 하늘은 낮에 보면 파랗고 밤에 보면 까맣다. 그런데 왜 『천자문』에서는 하늘을 까맣다고 했을까? 아버지는 까만 밤을 의미하는 것이 아니라 '하늘 너머 알 수 없는 미지의 세계'를 가리킨다고 했다. 우리 인간이 가닿을 수 없는 저 먼 어딘가, 그곳은 어떤 세계일까. 20세기가 지나서야 우주가 검다는 사실이 정립됐다는데 옛 선인들은 어떻게 우주가 까맣다는 것을 알고 정의 내릴 수 있었을까? 허투루 만들어진 글자는 없다. 한 자 한 자에 세상의 이치가 들어 있다. 그것은 나를 떨리게 했고 설레게 했다.

그때만 해도 일상에서 한자를 꽤 많이 썼다. 신문 역시 한자와 한글을 혼용했는데, 나는 매일 저녁 기사를 읽고 모르는 한자를 옥편에서 찾아야 했다. 정치, 사회, 문화 등 여러 내용이 있었지만, 당연히 여덟 살의 아이가 기사를 이해했을 리 만무하다. 다만 소리 내어 읽는 행위를 통해 어렴풋이 문장의 구조를 익혔던 것 같다. 글자들이 모여서 문장을 만들고 문장이 문단을 이뤄내고 한 편의 글이 된다는 것은 하늘이 까맣다는 이치만큼이나 경이로웠다. 작은 조각들이 하나씩 모여 덩어리를 이루고, 그 덩어리가 사람의 마음을 움직인다. 그것은 마치 이 거대한 세상이 돌아가는 원리 같았다.

그렇게 나는 '글의 세계'에 발을 디뎠다. 물론 글을 가지고 노는 것이 마냥 즐겁지만은 않았다. 그 세계에서 가장 곤혹스러웠던 것은 유의어였다. 아버지는 한 편의 글에 같은 단어가 들어가는 것을 용납하지 않았다. 가령 앞 문장에 '재미있다'를 썼다면 다음 문장에는 '재미있는'이라는 형용사조차 나오면 안 됐다. 무조건 다른 단어나 표현을 찾아야 했다. 그걸 해내지 못했을 때는, 따악 딱 손등에 죽비가 내려졌다.

서재 귀퉁이에는 수행자를 경책할 때 쓰는 죽비가 걸려 있었다. 숙제를 비롯해 각종 글을 검사받을 땐 그 죽비가 내 옆에 내려와 있었다. 사실 죽비로 맞는 게 아프지는 않았다. 그것은 엄격함을 보여주기 위한 하나의 수단일 뿐이었다. 고통스럽지는 않지만 애매하게 따끔따끔하는 죽비. 내 손등에 닿았을 때의 통증보다 찰딱찰딱 소리만이 지금도 생생하게 기억난다. 한자를 외우고 신문을 읽는 것보다 다른 단어를 찾아서 다르게 표현하는 게 더 어려웠다. 글이라는 것은 정답이 없으므로 하나의 관문을 통과하면 또 다른 관문이 끝없이 나타나 나를 막아섰다. 네모반듯한 원고지가 사방의 벽처럼 나를 에워쌌다.

유의어가 어려웠던 것은 한자처럼 단순히 외우는 게 아니라 '생각'을 해야 했기 때문이다. 내 머릿속엔 빨리 이 상황에서 벗어나고 싶다는 욕망뿐이었다. 그럴 때면 『천자문』구절을 떠올렸다. 한래서왕寒來暑往, '추위가 가면 더위가 온다'. 이 갑갑한 시간도 곧 지나갈 것이다.

주입식으로 외웠던 한자는 죄다 잊어버렸지만, 죽비를 맞으며 이어졌던 유의어 찾기는 습관으로 남아 실질적인 도움을 주고 있다. 계속해서 다른 단어와 표현을 써야 하니 자연스레 어휘력이 늘었고 문장 표현 역시 다채로워졌다. 대학원 문학비평 중간고사 때 '한 페이지에 같은 단어를 절대 넣지 말 것'이라는 금지 조항이 적힌 시험지를 접하며, 집착에 가까울 정도로 같은 단어를 못 쓰게 했던 일종의 훈육 글쓰기의 의미를 깨달았다.

언어의 세계에는 한계가 없다. 어떤 말이든 조합할 수 있다. 그것은 내가 마치 창조자가 되어 나만의 세계를 만드는 것과 같다. 규정 없는 미지의 세계, '언어'. 그러니 같은 말을 반복적으로 쓰는 것은 한량없이 다채로운 언어에게 결례를 범하는 일일지도 모른다. 비트겐슈타인은 '언어의 한계는 세계의 한계'라고 했다. 내가 쓰는 언어는 곧 나의 세계인 셈이다.

물론 중복 단어를 빈번하게 쓴다고 해서 사는 데 지장을 주지는 않는다. 그럼에도 굳이 다양한 어휘를 사유하고 쓰는 이유는 나의 세계를 확장하는 일이기 때문이다. 그것은 칠흑같이 광활한 검은 바다에 하나, 둘, 셋…… 반짝이는 별을 무한대로 띄우는 일이다.

어휘력 만렙을 위한 유의어

잔소리가 싫은 이유는 말뜻 그대로 쓸데없이 자질구레한 말을 늘어놓거나 필요 이상으로 참견하기 때문이다. 한 번 해도 될 말을 계속해서 읊으면 듣기가 싫다. 잔소리가 아니더라도 같은 말을 반복하면 지루하다. 글 역시 중복 단어가 빈번하게 등장하면 재미없는 것이 당연지사.

예를 들어 '긍정적인 사람'이란 점을 강조하고 싶어서 나는 긍정적인 사람이었고 긍정적인 행동을 하기 위해 노력했으니 당신도 긍정적으로 살아야 한다는 논조로 계속해서 긍정, 긍정, 긍정의 문장 구사가 이어진다면 어떨까? 문장이 지루할 뿐만 아니라 자칫 독자를 가르치려 든다는 인상을 줄 수도 있다.

무엇보다 같은 단어가 지나치면 글쓴이의 어휘력마저 의심하게 된다. 처음에는 자신이 같은 단어를 자주 쓰는 것조차 눈치채지 못할 수도 있다. 그렇지만 글을 본격적으로 써봐야겠다고 마음먹었다면 의외로 자주 발목을 잡는 것이 '같은 표현'이다. 특히 에세이는 '나'라는 대명사와 '생각한다', '느꼈다'와 같은 동사가 단골손님이다. 어떻게 하면 이 반복의 굴레에서 벗어날 수 있을까?

1. 유의어

다른 단어의 대체재로 같은 의미의 유의어가 있다.

예사롭지 않은 둘의 <u>상황</u>을 눈치챘다.

여기서 상황을 여러 가지 단어로 바꿀 수 있다.

① 예사롭지 않은 둘의 <u>사이</u>를 눈치챘다.
② 예사롭지 않은 둘의 <u>분위기</u>를 눈치챘다.
③ 예사롭지 않은 둘의 <u>기류</u>를 눈치챘다.

이 가운데 '기류'의 뜻을 찾아보자.

기류氣流

① [지구] 온도나 지형의 차이로 말미암아 일어나
   는 공기의 흐름.

② 어떤 일이 진행되는 추세나 분위기를 비유적
   으로 이르는 말.

'기류'의 뜻에는 '분위기'란 단어가 포함되어 있다.
이어서 '분위기'의 의미를 찾아본다.

분위기雰圍氣

① 지구를 둘러싸고 있는 기체.

② 그 자리나 장면에서 느껴지는 기분.

③ 주위를 둘러싸고 있는 상황이나 환경.

분위기에 대한 설명 ①번을 보면 '지구를 둘러싸고
있는 기체', 즉 '기류'와 유사한 내용이 나온다. 결국

유의어란 돌고 도는 것이다. 이 순환의 이치를 잘 활용하는 것이 어떻게 보면 유의어 찾기의 핵심이다.

2. 네이버 국어사전 활용

감사하게도 네이버 국어사전에는 유의어 섹션이 있다. '분위기'라는 단어를 검색 후 아래로 쭉 내려가면 '유의어/반의어'란이 나온다. 이 중 내 글과 어울리는 단어를 골라 쓸 수 있다.

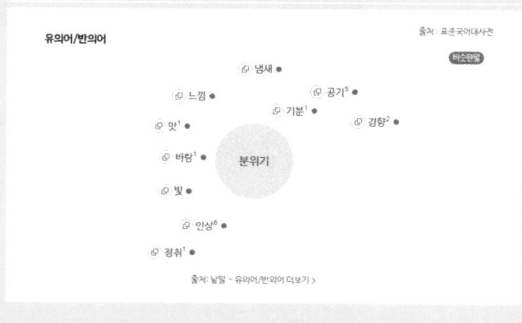

사전을 통해서 어휘를 습득하는 것은 글쓰기의 기초 체력 다지기에 유용한 단백질이다. 풍부한 어휘력

은 언어를 가지고 노는 훈련에서 나온다. 가장 쉽게 할 수 있는 연습은 아이들과 심심할 때 많이 하는 끝말잇기이다.

아재 개그라고 여겨질 수도 있겠지만 언어유희, 말장난을 해보는 것도 추천한다. 예전에 MBC에서 〈고향이 좋다〉라는 프로그램을 제작할 때 많이 했던 장난질이다.

"말만 하지 말고 빨리 말에 올라타."
"어딨소? 여깄소! 고맙소!"

(아재 개그에 썰렁하셨다면 죄송합니다.) 유치하지만 말장난도 창의력을 올려주는, 글 실력을 업그레이드할 수 있는 일종의 언어유희다. 라임을 곁들인 말장난을 하다 보면 장난 아니게 글쓰기가 향상된다. 이 말이 맞는지 아닌지 해보면 알지요.☺

매일 첫 문장 앞에 서성이는 사람, 라디오 작가

살갗에 닿는 산들바람이

참 기분 좋게 느껴지는 요즘인데요.

어쩌면 인생에서 만나게 되는 사람들도

바람과 같지 않나 싶습니다.

살아가다 보면 때론 온풍처럼,

때론 태풍처럼 불어와

내 살갗을 건들고

마음을 흔드는 바람 같은 이를 만나게 되는데요.

사랑을 가르쳐주고,

혹은 아픔과 그리움을 가르쳐주고,

내가 누구인지를 가르쳐주는

그런 매력적인 돌개바람이

5월에는 찾아와 주었으면 좋겠다, 싶습니다.

　2008년 5월 11일에 쓴 라디오 오프닝 원고다. 삼일절, 현충일과 같은 국경일부터 지구의 날, 방송의 날, 도서관의 날까지 각종 기념일을 줄줄이 꿰차던 시절이 있었다. 매일 아침 다이어리를 보며 기념일을 체크하던 그때. 라디오 작가로 일하던 그때.

　라디오 작가에게 다이어리는 별 다섯 개를 주어도 모자랄 만큼 중요하다. 일 년 365일 매일 새로운 글을 써야 한다는 중압감 속에서 각종 기념일은 소재 걱정을 덜어주는 귀한 존재. 그나마 뭘 쓸지에 대한 고민을 더는 날이다.

　기념일 다음으로 자주 쓰는 소재는 '날씨'. 사람을 처음 만났을 때, 어색한 상황에서 무슨 말이라도 해야 할 때, 우리가 제일 편하게 꺼낼 수 있는 카드가 날씨인 것처럼 오프닝에서도 날씨는 호불호가 없는 소재다. 가끔 무지막지하게 덥고

습해서 불쾌지수가 막대한 날에는

아, 이렇게 뙤약볕이
뼛속까지 들어오는 날엔,
그냥 시원한 바닷가에 풍덩~
빠져버리고 싶습니당!

　이런 짧은 오프닝으로 센스를 가장한 꼼수를 부릴 때도 있다. 만약 기념일도 날씨도 마뜩잖아 쓸거리가 없을 때는 책이나 영화 속 글귀나 여행, 그래도 안 되면 미담이나 해외 토픽을 찾아본다.

　라디오 작가들 사이에서는 "일 다 했냐?"는 말이 "오프닝 다 썼어?"로 대체된다. 청취자들은 그냥 지나칠지도 모를 일 분도 채 안 되는 오프닝이 라디오 대본에서는 꽃 중의 꽃이다. 프로그램의 시작을 알리는 나팔수 역할을 하기도 하고, 디제이의 색깔을 드러내는 수단도 된다. 그렇다 보니 오프닝으로 인한 구설수도 부지기수다. 모 가수는 오프닝이 마음에 안 든다며 해당 프로그램 작가 교체를 요구해 한바탕 소

란이 있었다. 뚜렷한 이유 없이 '별로다'로 트집 잡기 시작하면 끝이 없다. 반대로 글이 참 좋다며 프로그램을 옮길 때마다 한 작가와만 일을 하는 연예인도 있었다.

오프닝이 뭐기에 이 난리냐 싶지만, 프로그램의 시작을 알림과 동시에 소위 필력의 지표가 되기에 작가에게 오프닝은 곧 얼굴이다. 이 같은 이유로 라디오 작가 채용 시 즉석에서 오프닝 작성 시험을 보기도 한다.

라디오 작가로 MBC, 교통방송, 불교방송 등에서 거의 십 년을 매일같이 뭔가를 써냈던 나 역시 오프닝 앞에서는 매번 한참을 서성였다.

"뭐라고 쓰지?!"

글쓰기 초보자도 프로 작가도, 글을 쓰는 사람이라면 누구나 '시작' 앞에서 우왕좌왕 번민에 싸인다. 사람과의 만남에서 첫인상이 중요하듯 글 역시 첫 문장이 중요하다. 글의 인상을 좌지우지할 뿐만 아니라 끌고 나가는 원동력이 된다.

누구나 첫 문장의 중요성을 잘 알지만, 하얀 바탕에 깜빡이는 커서를 보면 막막해지기 마련이다. 대체 어떤 말로 시작해야 할까. 멍 때리고 깜빡이는 커서를 보며 내 눈만 깜빡깜빡…… 손가락이 알아서 자판을 움직여주면 좋겠건만 야속하게도 내 손은 좀처럼 미동이 없다. 가끔 드라마에 나오는 작가들은 신들린 듯 자판을 두드리던데, 신도 차별을 하는지 나에게 그 신은 한 번도 온 적이 없더라. 아, 나도 작두 한 판 타보고 싶다!

혼자 살 때는 하도 오프닝이 안 써져서 집 안의 불을 다 꺼놓고 미친 듯이 막춤을 춰보기도 했다. 몸치가 춤을 추고 음치가 노래를 부르고 온갖 짓거리를 다 해도 자판은 여전히 조용하다. 딸깍딸깍 애꿎은 마우스만 바쁘게 움직인다. 오늘도 딴짓의 역공이 시작됐다. 인터넷을 뒤적거려본다. '좋아요' 순례자가 되어 SNS를 순회하며 하트를 누른다. 밤사이 무슨 일이 있었나 기사들도 살펴본다. 그러다 보면 시간은 자가 증식을 하는지 한두 시간 정도는 우습게 지나가버린다. '아유, 정신 차리자!' 다시 하얀 화면으로 돌아온다. 여전히 커서만 깜빡깜빡. 라디오 대본이든 방송 시나리오든 에세이든 어떤 글이든 시작의 열쇠는 쉬이 발견되지 않는다.

과연 좋은 첫 문장이란 무엇일까? 정답은 없지만 많은 작가가 이야기하는 두 가지 정설은 있다.

첫째, 첫 문장은 짧아야 한다. 웬만하면 한 줄에서 끝내는 것이 좋고 좀 길다 하더라도 두 줄 이상 넘기지 않을 것을 권한다. 첫 문장이 길면 문장의 힘이 없어진다. 글이 처음부터 늘어지는 인상을 줄 수 있다. 간결하고 명확한 첫 문장은 글의 리더로서 다음 문장을 이끌고 나간다.

둘째, 호기심을 자극할 수 있어야 한다. 호기심이란 다음 문장을 읽고 싶게 만드는 일종의 매력을 의미한다. 에세이든 소설이든 자기소개서든 우리가 글을 쓰는 이유는 읽히기 위함이다. 첫 문장은 다음 문장으로 연결시켜주는 지렛대 역할을 한다.

그렇다고 해서 이 두 가지 법칙을 꼭 지킬 필요는 없다. 특히 길이의 경우 첫 문장이 세 줄 이상 넘어가는 작품들도 꽤 많다. 나만의 색깔로 글의 첫인상을 드러낼 수 있다면 그 문장이 최고의 첫 문장이다.

수많은 작품 가운데 내게 가장 강렬했던 첫 문장은 알베르 카뮈의 『이방인』이었다.

오늘 엄마가 죽었다. 아니 어쩌면 어제.•

　엄마가 돌아가셨는데 언제인지도 모른다니. 읽자마자 이런 괘씸한 아들이 있다니 화가 난다. 한 줄을 읽었을 뿐인데 감정이란 것이 생겼다. 나는 이미 글에 빠져든 것이다. 강렬하다. 동시에 참신하다. 대부분의 고전은 첫 문장이 훌륭하다.(물론 그래서 고전이겠지만.) 평소 독서를 할 때 첫 문장을 주의 깊게 살펴보는 것도 첫 문장 공포에서 벗어날 수 있는 방법이다.

　비단 글뿐이겠는가. 모든 것의 처음은 어렵다. 동시에 그래서 쉬이 잊히지 않는 법이다. 여고 시절 MBC FM 〈이소라의 음악도시〉를 들으며 라디오 작가를 꿈꾸던 내가 라디오 작가가 되어 첫 오프닝을 썼던 10월의 밤, 좁은 자취방에서 곤히 자던 룸메이트의 낮은 숨소리를 들으며 좌식 책상에 앉아 글을 쓰던 스물두 살의 나를 영영 잊지 못할 것이다. 행여나 실수할까 봐 수천 번을 썼다 지웠다 했던 그 순간, 그럼에도 부풀어 오르는 환희로 터질 것만 같았던 내 심장, 도무지

•　알베르 카뮈, 김화영 옮김, 『이방인』, 민음사, 2011년.

이뤄지지 않을 것 같은 무형의 꿈이 내 손아귀에, 그것도 너무나 따스하게 유형으로 느껴졌던 날, 노트북을 두드리는 손끝에서는 설렘이 배시시 흘러나왔었지.

1. 날씨, 환경에 대한 묘사

국경의 긴 터널을 빠져나오자, 설국이었다. 밤
의 끝이 하얘졌다.*

이 소설은 첫 문장이 곧 글 전체를 대변한다고 해
도 과언이 아니다. 『설국』의 분위기를 한눈에 그릴 수
있도록 전면에서 안내하고 있다. 실제로 소설은 '눈'
에 대한 이야기다. 눈치가 빠른 이라면 알아챘겠지만,
이 문장은 완벽한 대비를 통해 분위기를 극대화하고
있다. '긴 터널'과 '설국', '밤'과 '하얘졌다', 블랙과 화
이트의 반대되는 장치를 통해 독자는 이상야릇한 설
국의 세계로 인도받는다. 선과 악, 어둠과 밝음, 검은

● 　가와바타 야스나리, 유숙자 옮김, 『설국』, 민음사, 2002년.

색과 하얀색, 온통 이분법으로 이루어진 세상에서 책 속의 설국은 과연 우리를 어디로 인도할까.

날씨나 환경에 대한 묘사는 글쓰기에서 가장 많이 구사하는 기법 중 하나이자 접근하기 쉬운 첫 문장 쓰기의 요령이다. 그날 보고 듣고 느낀 자연의 모습을 묘사할 수도 있지만 좀 더 욕심을 내서 내 감정을 그 당시의 날씨에 빗대어보자. 예를 들어 가기 싫었던 독일이란 나라에 첫발을 내딛은 상황(제 이야기입니다)을 비유해본다면 다음과 같이 쓸 수 있다.

나는 6월에 독일에 갔다. 여름이었는데도 추웠다. 첫날부터 기분이 별로였다.

표면적인 날씨에 기대어, 대놓고 감정을 드러낸 글이다. 이보다 간접적으로 당시 내 기분을 환경에 비유해보자.

6월이었음에도 체감 계절은 12월이었다. 종일

내리는 가랑비가 한없이 사람을 처지게 했다. 후
벼 파는 바람에 어깨뼈가 으슬으슬 추웠다. 가져
간 여름 샌들에 발이 시려 급히 운동화를 샀다.

날씨가 추웠고 기분이 별로라는 말이 나와 있지 않
지만, 독자는 이 문장을 통해 글쓴이의 상황이 좋지
않음을 알 수 있다. 직접적으로 '외로웠다', '추웠다',
'슬펐다'를 쓰는 대신 그 감정을 자아낼 수 있는 분위
기를 표현할 때, 독자의 몰입도는 더 올라간다.

2. 특정 사건으로 시작하기

오늘 엄마가 죽었다. 아니 어쩌면 어제. 모르겠
다.

앞서 언급했던 『이방인』의 첫 문장이다. 꼭 이런
사건이 아니더라도 '독일행 티켓을 끊었다', '사직서를

냈다', '이별을 결심했다' 등 결정을 의미하는 특정 행위로 글을 시작할 수 있다. 이 작법은 자극적이다. 소위 어그로 끌기에 유리해 블로그를 비롯한 SNS 글쓰기, 기사 작성 등에 곧잘 적용된다.

기자들이 기사를 쓸 때는 대부분 사건을 서두에 쓴다. 그래야 독자가 기사를 클릭하고 읽을 가능성이 크다. 가령 A씨가 한강에서 변사체로 발견됐다면 이 사건 자체가 시작을 장식한다. 그다음 언제 누가 발견했는지, 수사는 어떻게 진행 중인지가 부연으로 언급된다. 이런 글쓰기 방식은 호기심을 끌기에 제격이지만 첫 문장의 힘을 끝까지 밀고 나갈 수 있는 필력도 필요로 한다. 자칫 용두사미로 끝날 수 있다는 점에 유의하자.

3. 인물의 성격, 외모, 특징, 습관 등에 대한 설명

나는 아픈 인간이다. 나는 심술궂은 인간이다.

나란 인간은 통 매력이 없다.●

단 세 문장으로 우리는 주인공의 성격을 파악할
수 있다. 그는 냉소적인 은둔형 남자로 사회와 주변에
대한 불평불만과 독설을 퍼붓는다. 사람들 앞에서는
찍소리도 못 하지만 지하에 혼자 있을 때만큼은 주저
리주저리 온갖 말을 해댄다. 그런데 읽다 보면 주인공
의 말에 묘하게 설득력이 있다. 통 매력이 없다고 했지
만, 독자는 그에게 마력 혹은 연민을 느낀다.

이 방법은 소설이나 독후감, 에세이 등에서 자주
쓰인다. 예시문처럼 독자가 성격을 유추해볼 수 있는
외모에 대한 묘사로 시작해본다. 나에 대한 글을 쓴다
면 습관이나 태도 등에 관해 쓸 수도 있다.

소비 지향적인 삶을 살다가 미니멀 라이프를 시작
한 경험에 대해 쓴다면 '나는 아름다운 것만 보면 지
갑을 열었다'와 같이 평소 쇼핑 패턴을 설명하는 내용
으로 첫 문장을 쓸 수 있다. 다음과 같이 약간 우회해
서 다른 인물을 전면에 내세우고 이에 빗대어 자신의

● 표도르 도스토옙스키, 감연경 옮김, 「지하로부터의 수기」, 민음사,
   2010년.

취향이나 성격, 기분을 설명하는 것도 방법이다.

최고의 인기를 구사했으나 평생 불안하게 살았던 재즈 보컬, 빌리 홀리데이. 그녀의 인생 자체가 재즈를 닮았다. 그래서일까. 나는 우울할 때 빌리 홀리데이를 듣는다. 왠지 그녀만은 내 슬픔을 알 것 같아서…….

4. 사전적 의미 혹은 정의 내리기

행복한 가정은 모두 고만고만하지만, 무릇 불행한 가정은 나름 나름으로 불행하다.[●]

여러 책에서 인용된 명문장이자 위대한 첫 문장으로 꼽히는 글이다. 글 전체의 프레임을 짜놓고, 첫 문장을 그에 해당하는 정의로 시작했다. 톨스토이는 이 작품에서 행복한 가정은 레빈과 키티, 불행한 가정은

● 레프 톨스토이, 박형규 옮김, 『안나 카레니나』, 문학동네, 2010년.

안나와 카레닌으로 구분해 스토리를 전개해 나간다. 치밀한 구성을 요하는 이 방법은 사실 초보자가 하기엔 쉽지 않지만 잘 설계한다면 근사한 글이 탄생할 수 있다.

쉽게 연습해볼 수 있는 방법은 '해외여행은 연애, 이민은 결혼', 이런 식으로 전면에 정의를 내세운 다음 관련 에피소드를 풀어 나가는 것이다. 평소에 정의 내리기를 틈틈이 연습해보면 글쓰기 전반에도 도움이 된다. '나는 ○○이다, 연필은 ○○이다, 글쓰기는 ○○이다'와 같은 문장을 형용사와 곁들여서 표현해보자. 전혀 어울리지 않는 조합일수록 색다른 문장이 탄생할 가능성이 높다. 이 방법이 좀처럼 진도가 안 나간다면 우회할 수 있는 팁이 있다. 단어의 사전적 의미로 시작하기다.

갑자기

: 미처 생각할 겨를도 없이 급히

2020년에 갑자기 코로나가 온 세상을 덮쳤다.

여기서 '갑자기'라는 부사는 급히 일어난 어떤 일을 지칭할 때 사용된다. 이 문장 없이 바로 '코로나가 온 세상을 덮쳤다'가 나왔다면 어땠을까? 그러면 다소 식상했을 것이다. 강조하고 싶은 단어를 전면에 내세워 독자에게 주제 의식을 각인시킬 수 있다.

5. 인용문 활용하기

"못된 남편을 둔 착한 아내는 아주 자주 상심에 빠진다. 사랑은 많은 것을 할 수 있다. 그러나 돈은 모든 것을 할 수 있다." 이러한 말들은 16세기 프랑스에서 농민들이 결혼의 특성을 묘사하는 데 썼던 속담들 중 일부다.●

풋, 쓴웃음이 나오는 긍정도 부정도 하기 어려운 의미심장한 속담이다. '백지장도 맞들면 낫다'와 같은 관용구에 가까운 속담은 시시했겠지만, 책은 잘 알려

● 내털리 데이비스, 양희영 옮김, 『마르탱 게르의 귀향』, 지식의 풍경, 2000년.

져 있지 않은 오래된 속담을 가져옴으로써 오히려 신선함을 보여준다. 이런 속담뿐만 아니라 다양한 작품의 구절을 인용할 수도 있다.

"그 폭풍을 빠져나온 너는 폭풍 속에 발을 들여놓았을 때의 네가 아니라는 사실이야." 무라카미 하루키가 『해변의 카프카』에 쓴 글은 정확했다. 확실하게 설명할 수 없지만, 독일에 살던 나와 지금의 나는 다르다.◆

❖

여기서 마무리하면 서운할지도 모를 독자 분들을 위해 에세이, 연설문 등에서 첫 문장 쓰기의 활용법을 정리해본다.

◆ 강가희, 『명랑한 이방인』, 모요사, 2022년.

1. 누구나 겪어봤을 일, 사회적 통념/현상으로 시작하기

글이 갖는 공감대는 엄청나다. 누구나 한 번쯤 겪어본 일 혹은 사회적 현상으로 시작한다. 가령 『호밀밭의 파수꾼』에 대한 독후감을 쓴다면, '누구나 한 번쯤 질풍노도의 시기를 겪어봤을 것이다' 혹은 사회의 이념 대립이나 남녀 사이 등 갈등에 관해 쓴다면, '모든 관계에는 갈등이 있기 마련이다'와 같이 보편적인 것에 대한 개념 설명으로 시작할 수 있다.

2. 질문으로 시작하기

질문으로 시작하기는 특히 연설문처럼 짧은 시간에 대중을 사로잡아야 할 때 자주 쓰인다. 만약 환경에 관한 연설문을 쓴다면, '여러분, 물티슈는 플라스틱일까요? 종이일까요?'.

이외에도 『고도를 기다리며』의 독후감을 쓴다면 '우리가 살면서 기다리는 시간의 총합은 얼마나 될까요?' 등의 질문을 떠올려볼 수 있다.

3. 대화체로 시작하기

　에세이에서 자주 쓰는 전략이다. 일상적이고 실감나는 표현으로 글에 생동감을 불어넣어 줄 수 있다.

　"나 비행기 티켓 끊었어."

　궁금증을 유발한다. 대체 왜 항공권을 끊었을까?

　"오늘부터 우리 1일이야."

　누가 읽어도 설레는 첫 문장이다.

　첫 문장을 연습할 수 있는 가장 좋은 방법은 첫 문장을 많이 읽어보는 것이다. 명작은 첫 문장도 명문장이다. 고전 문학이 아니더라도 에세이나 칼럼 등의 첫 문장을 유의해서 읽어보자. 좋은 글을 자주 읽고 점차 감이 쌓이다 보면, 몇 시간째 깜빡이는 커서에 기동력이 실릴 것이다.

성격이 문제를 만든다

휙휙 발에 바퀴가 달린 것마냥 빠른 사람. 내 걸음걸이를 빗댄 말이다. 예전에 같이 일했던 후배 작가는 예민한 청각과 관찰력으로 문밖에서 들려오는 발소리만 듣고도 누구인지 알아맞히는 신통방통한 능력을 갖고 있었다. 이는 아주 유용했는데 가끔 딴짓하다 걸리면 안 될 사람(제작사 대표나 메인 작가 등)이 오기 전에 미리 방어 태세를 취할 수 있었다.

후배는 내 걸음에선 빠르게 굴러가는 바퀴 소리가 들린다고 했다. 부정할 수 없는 사실이었다. 급한 내 성격이 고스란히 담긴 표현이었으니까.

나는 굼뜬 걸 참지 못한다. 일순간 해야겠다고 판단이 서면 뒤도 돌아보지 않고 직진한다. 경험으로 보건대 나뿐만 아니라 방송국 사람들 대부분은 성격이 급하다. 일단 먼저 나서야 한다. 가만히 앉아서 돌아가는 꼴을 못 본다. 어쩌면 성격 급한 사람들이 모였기에 매일 촉각을 다투는 방송을 해낼 수, 아니 '쳐낼' 수 있는 것인지도 모르겠다. 분명 국장이 출연자의 연락처를 알아봐 준다고 했어도 그새를 못 참고 전화를 돌려서 일 초라도 빨리 번호를 알아내는 사람들이 방송작가다. 회식할 때도 모 피디는 고기에 상추쌈을 싸 먹는 것도 시간 낭비라며 고기를 먼저 입에 넣은 뒤 상추를 쑤셔 넣어버렸다. "고기 굽는 시간은 아까워서 어찌 앉아 있나 몰라." 우리의 놀림을 받으면서도 그는 늘 그랬다.

　　글에도 성격이 있다. 글을 보면 어느 정도는 글쓴이의 성격을 유추할 수 있다. 후배처럼 발소리를 알아맞히지는 못해도 글쓰기 수업으로 여러 사람의 글을 오랫동안 읽다 보니 글만 보고도 대략 성격을 눈치챌 수 있게 됐다. 이공계 분야에서 공부한 어느 학자의 글은 간결하고 명료했으나 어떻게 보면 건조했다. 그는 합평 때 언제나 정확하고 깔끔했다. 날씨 좋은 스페인에 사는 아이의 글은 햇볕에 잘 익은 오렌지 과즙처럼 통통 튀는 상큼 덩어리였다. 실제로 학생은 늘 생글생글 웃으며 수업에 참여했고 장난기가 많았다. 사는 곳에 따라 혹은 처한 환경이나 하는 일에 따라 성격이 형성되고, 성품은 문체라는 이름으로 지면에 얼굴을 드러낸다.

내게 자유롭고 고상한 문체를 주소서,

거칠기는 해도 억제되지 않은 듯이 보이는.[•]

이십 대에 내 글의 속도는 걸음걸이와 같았다. 음악으로 비유하자면 프레스토였다. 급한 성격대로 글에 발이 달린 것처럼 줄곧 빠르게 빠르게 줄줄이 소시지처럼 이어졌다. 문장의 속도가 급하니 의미가 따라가지 못하거나 힘에 부쳤다. 겉만 장황한 속 빈 강정이거나 횡설수설, 전달하고자 하는 의미가 명확하지 못했다. 글 앞에서 치기 어려웠다. 굳이 항변하자면 이십 대 중반의 내 삶 자체가 정신이 없었던 것도 같다. 방송작가를 하며 대학원을 다녔고, 시간을 쪼개 도서관

● 버지니아 울프, 최애리 옮김, 『집 안의 천사 죽이기』, 열린책들, 2022년.

사서 조교로도 일했다. 그 틈을 비집고 휘리릭 휘리릭 과제를 해서 냈다. 그런 나의 정신 사나움은 아마 글에도 여실히 드러났을 것이다. 어느 날 지도 교수님께서 나를 불렀다.

"자네, 필사를 해보는 게 어떤가? 김훈 작가 어때? 그 작가 작품으로 해봐."

나는 작문은 좋아하지만 필기는 싫어한다. 어렸을 때는 경필 쓰기 대회에서 상도 받았는데, 그 실력은 어디로 간 건지(가끔은 내 기억이 조작된 건지 의심이 든다) 자타공인 악필이다. 글씨가 미우니 손으로 글을 쓰는 건 딱히 달갑지 않았다. 교수님의 권유일 뿐이어서 정 싫으면 안 해도 됐지만 억지로 필사를 시작했다. 나에게는 시키면 최대치로 성실히 해야 마음이 편한 일종의 모범생 강박증이 있다. 지도 교수님이 하라고 했으니 할 수밖에 없었고 열심히 해야 했다. 당최 이건 어디에서 나온 책임감인지 성실함인지 강박인지…….

첫 필사 작품은 김훈의 『남한산성』이었다.

허송세월하는 나는 봄이면 자전거를 타고 남한산성에서 논다. 봄비에 씻긴 성벽이 물오르는 숲 사이로 뻗어 계

곡을 건너고 능선 위로 굽이쳤다. 먼 성벽이 하늘에 닿아
서 선명했고, 성안에 봄빛이 자글거렸다. 나는 만날 놀았
다.●

 책의 첫 장에서부터 압도당했다. 아니 경도됐다. 어떻게
이런 문장을 쓸 수 있을까? 봄빛이 자글거리다니! 그때 처음
으로 '자글거리다'라는 말의 뜻을 알게 됐다. 흔히 '기름이
자글자글하다'로 쓰이는 이 말의 두 번째 설명에 '햇볕이 지
질 듯이 내리쪼인다'라는 의미가 있었다. 봄빛의 찬란함과
역동성을 '자글거리다'로 표현한 작가를 닮고 싶었다.
 그의 글을 네모반듯하게 따라 써보았다. 아니 받아 적었
다는 표현이 좀 더 적확할 것이다. 완벽히 매혹당한 문장들
을 훔치기 시작했다. 그리고 우물우물 입에 한 움큼 넣어 먹
었다. 때로는 오래 곱씹으며 핥았고, 때로는 단숨에 삼켰고,
때로는 꿀꺽꿀꺽 마셔버렸다. 까만 밤, 흑석동 고시원에서 홀
로 스탠드 불빛에 의지해 문장을 먹었다. 먹어도 먹어도 허기
가 졌다. 그사이 수십 번 달이 지고 해가 뜨기를 반복했다.
조금씩 복잡하게 얽혀 있는 문장의 사슬들이 자글거리는 태

 ● 김훈, 「남한산성」, 학고재, 2007년.

양 빛 앞에 풀어 헤쳐지기 시작했다. 그것은 김훈이라는 작가의 세계를 만난 것만큼이나 설레는 경험이었다. 박자를 못 맞추고 제멋대로 허우적거리던 문장들이 리듬감을 찾기 시작했다. 때로 안단테로, 때로 프레스토로.

1. '나만의 작가' 롤 모델 선택

『모비딕』을 쓴 허먼 멜빌은 셰익스피어의 『오셀로』를 250번 필사했다고 전해진다. 필사는 롤 모델을 따라 하는 행위라고도 할 수 있다. 하늘 아래 새로운 것은 없다. 역사에 획을 그은 철학자, 작가, 화가들에게도 스승은 있었다. 니체에게는 쇼펜하우어가 있었고, 살바도르 달리에게는 피카소가 있었다. 스티브 잡스의 롤 모델은 비틀스였고, 무라카미 하루키는 레이먼드 챈들러를 숭배해 그의 작품들을 적극적으로 번역했다.(여담이지만 스콧 피츠제럴드, 레이먼드 카버, 어니스트 헤밍웨이, 윌리엄 포크너 등 하루키의 롤 모델들은 심각한 알코올 중독자이자 미국인이다.)

글도 마찬가지다. 본격적인 필사에 앞서 닮고 싶은 롤 모델을 정한다. 유념할 점은 문장과 문체를 배우기 위함이므로, 외국 작가보다는 국내 작가를 선택하는 편이 좋다. 번역서는 특유의 번역체가 있기 마련이고, 아무리 번역가가 작가의 문체를 잘 번역했다고 해도 오롯이 그 스타일을 파악하기 어렵다. 우리말을 잘 살린 국내 작가의 글이 실질적인 문장 공부에 도움이 된다.

특히 자신만의 문체와 스타일을 일군 작가를 권한다. 김훈 작가의 경우 신문기자 출신이기에 문체가 간결하고 단순하면서도 깊이가 있다. 문장이 길고 정리가 안 돼서 고민하는 분들에게 추천한다. 물론 김훈의 문체가 강해서 자신과는 맞지 않다는 수강자도 있었다. 만약 유려하고 섬세한 문장을 원한다면 박완서, 은희경 등의 작품도 좋다. 이 밖에도 소설가, 에세이스트 등 뛰어난 작가는 국내에 수두룩하니 닮고 싶은 롤 모델을 정해보자.

2. 베껴 쓰기가 아닌 내용 파악에 집중

책 전체를 다 필사할 필요는 없다. 한때는 대하소

설 『토지』나 『태백산맥』의 필사가 유행처럼 번질 때도 있었으나 요즘 사람들은 바쁘다. 긴 책을 다 소화할 시간도 없거니와 필사 역시 간결한 작품을 선호한다. 물론 원한다면 책 전체를 다 할 수도 있지만 자신이 하고 싶은 부분만 해도 괜찮다.

책의 두께보다 중요한 것은 글자를 베껴 쓰는 것이 아니라 작품의 구성에 집중해야 한다는 점이다. 한 문장에서 주어와 동사가 어떻게 호응하는지, 문단과 문단이 어떤 문장에 의해 자연스럽게 이어지고 있는지 '브리지bridge 문장'을 살펴본다.

간혹 필사를 끝내는 데 급급해 빨리 쓰는 경우가 있는데 나중에 대조해보면 은근히 틀린 글자가 많다. 은, 는, 이, 가와 같은 조사가 대표적이다. 우리말은 '아 다르고 어 다르기'에 조사의 쓰임도 중요하다. 가령 김훈 작가는 『칼의 노래』의 첫 문장을 쓸 때 '꽃은 피었다'와 '꽃이 피었다'를 두고 '은'을 쓸지 '이'를 쓸지를 아주 오랫동안 고민한 것으로 전해진다. '-은'은 보조사, '-이'는 주격조사이므로 그 뉘앙스가 다르기 때문이다. 작가의 최종 선택은 '꽃이 피었다'였다. 감상자의 의견이 개입되지 않은, 꽃이 핀 사실 자체를 표현한 문장이다.

한 단락이나 한 페이지 정도 썼다면, 원문과 대조해보며, 자신이 쓴 부분을 읽어본다. 소리 내 읽으면서 쓰기를 하는 것도 효과적인 방법이다.

3. 손 글씨 vs 타자

"노트북이나 컴퓨터로 타이핑을 하면 효과가 없나요?"

필사와 관련해 가장 많이 듣는 질문이다. 이에 대한 답은 딱히 정설이 없다. 개개인에 따라 효과는 극명하게 달라질 수 있다. 내 경험으로만 비추어 보면, 정리가 필요한 자기 계발서나 실용서, 전공 서적 등은 노트북으로 필사해도 괜찮다. 옮겨 적으면서 개념을 정리하고 좀 더 깔끔하게 책을 요약할 수도 있다. 필사한 내용 옆에 자신의 생각을 덧붙일 수도 있다. 단

문장과 문체를 위한 공부로써 '문학'을 필사한다면 문장 하나하나를 곱씹고 음미하기엔 손 글씨만 한 게 없다. 아날로그적인 다정한 감성은 저절로 따라온다.

그렇다면 필사를 하면 어떤 효과가 있을까?

필사의 효과

① 책에 대한 이해

책의 내용을 온전히 파악할 수 있다. 속독했을 때 이해가 안 되던 전개가 필사를 하면 파악이 되는 진귀한 경험을 할 수 있다. 같은 책일지라도 예전의 느낌과는 다른 감동을 받을 수도 있다. 필사는 책의 구조를 파악하는 데 탁월한 효과를 발휘한다.

② 어휘력, 표현력, 문법 향상

잘 사용하지 않았거나 처음 접하게 된 단어들을 찾아보고 써보면서 내 것으로 만들 수 있다. 예를 들어 박완서 작가의 작품에는 '우두망찰'이란 표현이 자주 나온다. 무슨 뜻일까? 사전에는 '얼떨떨하여 어찌

할 바를 모르는 모양을 일컫는 말'이라고 나와 있다.

　　그날의 할 일조차 잊고, 촌닭처럼 서투르게 허둥지둥하다가 우두망찰을 했다. 꼭 뭣에 홀린 듯 신나는 분주 끝에 오는 절망적인 우두망찰.◆

　　한강 작가의 『채식주의자』에서도 '우두망찰'은 비슷한 뉘앙스로 표현된다.

　　검은 트렌치코트 차림으로 우두망찰 서 있는 아내의 팔을 끌고 안방으로 들어갔다.◆

　　이 작품은 부커상 수상과 함께 다양한 국가에서 출판됐는데 '우두망찰'은 독일어로 '멍한 표정^{einem} $^{verblüfften\ Ausdruck}$'으로 번역됐다. 틀린 것은 아니지만 '우두망찰'이 주는 한국어 고유의 느낌을 전달하기에는 뭔가 아쉽다. 우리말이 가진 다양한 맛을 음미하기에는 필사가 제격이다.

●　박완서, 『부끄러움을 가르칩니다』, 문학동네, 2006년.
◆　한강, 『채식주의자』, 창비, 2007년.

필사를 통해 습득한 단어는 메모해 두었다가 자신의 글쓰기에 적용해보자. 그 단어를 재료 삼아 즉석에서 아무 문장이나 만들어보는 것도 한 가지 방법이다. 영어와 마찬가지로 한국어 역시 쓰지 않으면 잃어버린다. 반드시 활용해보자. 필사를 통해서 습득한 새로운 단어와 구조를 응용해서 나만의 독창적인 세계를 구축해보자.

③ 스트레스 해소(주관적 장점)

필사는 글쓰기 능력의 향상과 별도로 스트레스 해소 역할도 한다. 필사를 할 때면 펜의 촉감과 손의 온기, 바스락거리는 종이의 질감까지 온전히 전해지며 집중하게 되는데 어느 순간 잡념이 사라지고 마음이 정화되는 느낌이 들곤 했다. 정신이 산란하거나, 몰두할 무언가가 필요하다면 취미로 필사를 해보는 것도 좋은 방법이다. 사각사각 연필 소리와 사르륵사르륵 페이지 넘기는 소리가 작은 위무를 선물해줄 것이다.

4. 그 밖의 필사

① 신문 칼럼

언론고시 준비생들이 자주 연습하는 방법이다. 정치적 성향이 많이 들어간 정치·사회 기사나 사설보다는 글을 잘 쓰는 외부 필진의 칼럼을 추천한다. 칼럼은 분량 자체가 책에 비해 짧고 가독성도 좋다.

필사 방법은 일반적인 글과 마찬가지로 문장별 혹은 단락별로 끊어서 필사한다. 그다음 자신이 맞게 썼는지 대조해서 읽어본다. 칼럼은 간결하지만 한 장에 기승전결이 다 들어가 있으므로 글쓰기 전개를 이해하는 데 도움이 된다. 물론 필사를 하면서 자신의 생각을 함께 정리해보는 것도 좋다. 어떤 사안에 대해 필자의 견해와 자신의 의견을 비교해봄으로써 사유의 폭이 넓어질 수 있다.

여러 가지 읽을거리가 집 안에 나뒹굴어야 지나가면서라도 글을 읽는다고 믿는 편이다. 읽기 환경 조성 중 하나가 신문이다. 구시대적이라고 여길 수도 있겠지만 스물한 살 때부터 지금까지 신문을 구독하고 있다. 신문을 보다가 마음에 드는 기사가 있으면 형광펜으로 칠하고 가위로 오려서 파일철을 한다. 인문학, 자연, 과학, 심리, 미술 등 나름으로 분야를 구분한다. 일종의 필요한 영양분을 미리 저장해두는 나만의 월동 준비다. 모아놓고 보면 언젠가 글을 쓸 때 어떻게 해서든 쓰인다. 세상에 쓸모없는 글은 없다.

② 동화

글을 읽고 쓸 줄 아는 연령대의 자녀가 있다면 아이와 함께 동화책을 필사하는 것도 추천한다. 아이들은 집중할 수 있는 시간이 짧아서 하루에 10분에서 20분 정도의 쓰기 시간이면 족하다. 따라 쓰기만큼 아이의 어휘력 향상과 문장 습득에 도움이 되는 것도 없다. 글을 이해하는 능력과 표현하는 능력을 동시에 향상시킬 수 있다. 아이의 소근육 발달은 덤이다.

불안함은 접속사 낭비를 낳는다

2020년의 나는 소비하는 인간이었다. 코로나 록다운으로 일주일에 한 번도 집 밖으로 나가지 못했음에도 불구하고 블랙프라이데이, 핫딜과 같은 온갖 유혹에 휘말려 신발이며 옷, 가방 등을 어지간히 사 모았다. 일주일에 한두 번은 삐 초 인종이 울리며 택배 기사가 왔고 나는 쪼르르 달려 나갔다. 배송된 상자를 풀어서 상품이 몸에 맞는지 입어보고 신어보고 이리저리 매치해본다. 이 의식이 끝나면 곧장 옷장으로 직행. 사들인 각종 의류는 주인과 시대를 잘못 만난 탓에 바깥 공기 한 번 못 쐬어보고 꽁꽁 틀어박혀 있는 신세가 됐다.

나갈 일이 있었다면 소비 행위를 합리화할 수 있었겠지만 집에만 있는 상황에서 당장 필요하지도 않은 것들을 쟁이는 내가 점점 한심해 보였다. 스스로 쇼핑 중독을 의심하기 시작하면서 이 부질없는 행위는 중단됐다. 대체 나는 왜 만날 사람도 외출할 일도 없는데 꾸역꾸역 옷들을 사 모았을까?

보잘것없는 내 영혼은 불안했다. 아무것도 안 하고 가만히 있을 수가 없었다. 코로나로 인해 정상적인 생활이 불가능한 상황이었고, 당시 내가 살던 독일은 한국과는 비교가 안 될 만큼 높은 감염자 수치를 경신해 나갔다. 행여나 코로나 바이러스에 감염될까 두려웠다. 창살 없는 감옥과도 같은 집콕 생활이 일 년 이상 이어졌고, 인터넷에서 반짝이고 예쁜 것들을 탐닉하는 시간은 잠시나마 이 불운한 상황을 잊게 해 주었다.

불안으로부터 도망치려다 풍요 중독자가 된 한국을 말하는 『풍요중독사회』의 설명은 적확했다. 우리는 초조할 때 다른 무언가로 그 상황을 덮으려고 한다. 외로운 사람들은 더욱더 화려한 옷과 화장으로 자신을 포장한다. 심적인 불안을 양적인 풍요로 메우려 하지만 그것은 '거품'일 뿐이다.

● 김태형, 『풍요중독사회』, 한겨레출판, 2020년.

글도 마찬가지다. 대체로 문장이 허약한 글에서 수식어, 접속사가 빈번하게 등장한다. 주어와 서술어가 홀로 온전히 일어설 수 없기 때문에 각종 수사 어구를 통해 연결되지 않는 문장들을 이어가려 애쓴다.

흔히 말하는 3대 국민 접속사가 있다. '그리고', '그러나', '하지만'이다.

글쓰기 첨삭을 하면서 자주 했던 조언은 "접속사를 빼보세요"였다. 초보자의 글에는 불안이 묻어 있다. 내 글이 어떻게 보일까? 문맥에는 맞을까? 좀 더 매끄럽게 표현하려면 어떻게 해야 할까? 보여질 글에 신경 쓰다 보면 혹은 반대로 빨리 쓰는 데 급급해 성의 없이 쓰다 보면 접속사 과잉이라는 참사를 낳는다. 앞뒤가 안 맞는 것 같아서 이리저리 끼워 넣어보게 되는데, 빈번한 접속사는 정작 문장의 중심이 되어야 할 동사나 목적어의 품격을 방해한다. 음식을 만드는 것과도 비슷하다. 맛이 안 나는 것 같아서 간장, 참치액, 된장, 고춧가루 이것저것 다 넣다 보면 망하는 경우가 부지기수다. 음식 고수들의 양념장은 오히려 간단하다. 냉장고에 별의별 조미료가 다 있는 나와 달리 엄마 집 부엌에는 간장, 된장, 고추장, 소금만 있다.

꼭 필요하지 않다면 접속사라는 군더더기를 빼보자. 글쓰기에도 다이어트가 필요하다.

"나는 학교에 간다. 그리고 동생은 유치원에 간다."

이 문장에서는 '그리고'를 빼도 되고, 아예 문장을 합치는 것도 가능하다.

"나는 학교에, 동생은 유치원에 간다."

읽는 데 속도감이 생기고 문장 길이 역시 줄어든다. 쓰지 않으려고 습관적으로 노력하다 보면 접속사 없이도 의미가 통한다는 것을 알게 된다.

글쓰기에서 접속사는 과소비다. 불안함은 장바구니를 채운다고 해서 없어지지 않는다. 문장 역시 접속사를 붙인다고 해서 매끄러워지지 않는다. 심리학자들은 불안 증세를 없애려면 있는 그대로의 자신을 드러내라고 조언한다. 마찬가지로 접속사에 의지하지 말고 있는 그대로의 주어와 동사에 독립심을 길러주자. 군더더기 없이 본연 그대로. 글도 '경제적으로'.

깔끔한 문장을 위한 다이어트 원칙

1. 주어 빼기

"나는 독일에 산다. 나는 작가다. 나는 유튜브를 한다."

이 문장에서 '나는'이 세 번이나 나온다. '나'를 지워보자.

"나는 독일에 사는 작가로, 최근에 유튜브를 시작했다."

이런 식으로 문장을 합칠 수 있다. '너 밥 먹었어?' 대신에 '밥 먹었어?' 해도 문법적으로 틀리지 않는다. 꼭 주어가 들어가지 않아도 이해가 되는 경우는 삭제한다. 특히 자기소개서에서 저는, 제가, 저로 말할 것 같으면 등 나에 대한 주어를 남발하는 경우가 많다. 모든 문장이 '나는'으로 시작한다면 읽는 사람이 피로감을 느낄 뿐만 아니라 문장의 완성도 역시 떨어진다. 한 페이지에 같은 주어가 빈번하게 사용되지 않았는지 점검해보자.

만약 주어 삭제가 어렵다면 대명사로 바꿔볼 수도 있다. 앞 문장에 '남편'이라고 썼다면 다음 문장에는 '그'로 표현하는 식이다.

2. 부사 빼기

접속 부사가 많다는 것은 논리적이지 않고 개연성이 떨어지는 글이란 의미다. 전개가 뚜렷한 글은 그러나, 그런데, 하지만, 이런 접속사 없이도 문장이 이어진다. 빈번한 접속사 노출은 오히려 가독성을 방해한다.

"그는 슬펐다. 왜냐하면 그녀가 떠났기 때문이

다."

접속 부사 '왜냐하면'과 서술어 '때문이다'를 삭제
해도 의미 전달이 가능하다.

"그는 그녀가 떠나 슬펐다."

문장이 간결해진다. 접속 부사 외에 '정도 부사'를
빼는 것도 담백한 문장에 도움이 된다. 정도 부사는
'정도'를 나타내는 부사로 아주, 너무, 매우, 되게, 굉
장히, 참, 몹시 등이 있다. 우리말에서 정도 부사는 쓰
임이 엄격하지 않다. 그렇다 보니 평소에 말을 할 때
도 글을 쓸 때도 정도 부사가 정도를 모르고 빈번하
게 등장한다. 사실 정도 부사는 굳이 안 써도 될 때가
더 많다.

너무 아름답다 → 아름답다
정말 자신이 없었다 → 자신이 없었다

표현이 이상하지 않다. 오히려 '너무'를 너무 써서 그 가치가 평범해 보일 때도 있다. 깔끔한 문장을 위해서 '너무'를 '너무' 쓰지 말자. '정말'도 마찬가지이다. 오죽했으면 스티븐 킹은 "부사란 어떻게 해서든 맛있게 보이려고 갖가지 초와 아이싱으로 데코레이션을 했지만 결국 촛불을 끄는 도구로 전락한 맛없는 싸구려 케이크와 같다"며, "지옥으로 가는 길은 수많은 부사들로 뒤덮여 있다"●고 말했을까.

글뿐만 아니라 일상에서 말을 할 때도 비슷하다. '제가 너무 바빠서요', '너무 좋아', '진짜 짜증나'와 같은 말투는 사실 좀 가벼워 보이는 화법이다. 방송할 때 출연자들에게 최상급 부사를 가급적이면 자제해 달라는 부탁을 할 때도 있다. 품격 있는 말투의 완성은 부사의 거품 빼기에서 비롯된다. 그렇다고 모든 부사를 쓰지 말자는 것은 아니다. 그럼에도 불구하고, 불현듯, 갑자기, 하필 등 분위기 전환에 탁월한 효과를 발휘하는 부사들도 다양하니 적재적소에 쓰는 요령이 필요하다.

● 스티븐 킹, 김진준 옮김, 『유혹하는 글쓰기』, 김영사, 2002년.

3. 같은 의미의 단어, 문장 빼기

"그 동네에는 아름다운 꽃들이 지천에 흐드러졌고, 아름다운 집들이 많았다. 정말 아름다운 동네이다."

무슨 말을 강조하고 싶은 것인지 알 수가 없다. '아름다운'이 남발된 문장이다.

"그는 몹시 위중한 상태였다. 그의 가족들 역시 심각한 상태에 놓였다."

'상태'라는 말이 두 번 들어갔고 주어도 반복됐다. 다음과 같은 문장으로 바꿔볼 수 있다.

① "그는 위중한 상태다. 가족들은 심각한 상황에 놓였다."
② "그가 위중한 상태라는 소식에 가족들은 심각해졌다."

다음과 같이 장황하게 늘어놓는 서술형의 문장도 있다.

"그와 나는 헤어졌고 나는 홀로 남게 되면서 외로워졌고 다시 혼자 밥을 먹고 우울증 약을 복용하기 시작했다."

이 문장은 중복되는 단어는 없지만, 문장이 길어서 의미가 단번에 전달되지 않는다. 만연체의 대표적인 예다. 소리 내어 읽을 때 약간 숨이 차다고 느껴진다면 문장이 길다는 증거다. 문장을 해체해보자. 다음과 같이 바꿀 수 있다.

"우리는 헤어졌다. 나는 홀로 남았다. 다시 혼자 밥을 먹는다. 점점 외로워졌다. 우울증 약을 복용하기 시작했다."

단문은 시대의 흐름이기도 하다. 괴테나 셰익스피어 같은 과거 대문호의 작품들이 어려운 이유 중 하나는 문장 자체가 길기 때문이다. 괴테의 『파우스트』는 독일어의 특성 때문이기도 하지만 '대체 끝이 어디야?' 싶을 정도로 긴 문장들로 가득하다. 과거에는 긴 문장이 곧 학식 있는 문장이었지만 바쁜 21세기에는 직관적인 문장이 곧 팔리는 문장이다. 한 번에 읽히지 않으면 대중에게 외면당하기 일쑤다. 문장은 나날이 짧아지고 있다. 한 연구 결과에 의하면 오늘날 영어 문장의 평균 길이는 18세기와 비교해 3분의 1 이하로 줄었다고 한다.

이러한 흐름은 광고, 마케팅, 언론에서도 마찬가지로 적용된다. 이 시대는 직관적인 가독성을 위해 짧은 글을 선호한다. 스탠퍼드 대학의 언어학 교수인 댄 주래프스키는 다음과 같은 말을 남기기도 했다.

요즘 폼 나는 메뉴는 가볍고 간결하며, 싸구려 충전용 형용사나 진짜 재료를 쓴다는 끝없는 변명을 담고 있지 않다. 당신의 지위가 높다는 것을 보여줄 때는 말이든 음식이든 적게 쓸수록 더 좋다.●

단문으로 승부할 만큼 문장에 자신이 없다면 우

● 댄 주래프스키, 김병화 옮김, 『음식의 언어: 세상에서 가장 맛있는 인문학』, 어크로스, 2015년.

선 '한 문장에 한 정보만!'에 유의하면서 단문으로 쓰는 습관을 들여보자. 주의할 점은 전체적인 글을 단문으로만 쓰면 문장이 기사처럼 딱딱해 보일 수 있다는 것이다. 단문과 중문을 적절하게 섞어 쓰면서 리듬감을 부여해주자. 문장의 리듬감은 어디서 찾는감? 다음 장에서 만나요.

시적인 왈츠 :
격정과 평화, 기본과 기교의 멜로디

　예프게니 키신, 마르타 아르헤리치 그리고 조성진. 내가 좋아하는 피아니스트들이다. 클래식 강국 독일에 살면서 몇 개의 버킷리스트를 달성했다. 한국에서는 표 구매조차 어렵다는 키신과 아르헤리치의 공연을 직관한 것이다. 특히 키신 공연을 보러 갈 때는 007 작전을 방불케 했다.

　한 음악 웹 사이트를 통해 키신의 뮌헨 단독 공연 소식을 접했다. 마침 공연일이 부모님과 함께할 여행 일정과 겹쳤다. 이것은 운명이다! 곧장 티켓 예매를 하면서 콘서트장까지 지하철로 한 번에 갈 수 있는 위치에 숙소를 예약했다.

공연 당일, 부모님을 숙소에 모셔 드린 뒤 간략히 상황을 설명했다. 처음 독일에 오셔서 모든 것이 낯설고 어색한 부모님은 유난스러운 딸을 둔 탓에 어쩔 수 없이 덩그러니 숙소에 남겨졌다. 엄마는 고개를 절레절레 내저으며 "쟤는 어릴 때부터 마음먹은 건 꼭 해야 했어"라며 안쓰러운 눈빛으로 사위를 바라봤다. 키신인지 귀신인지 그가 누군지도 모르는 남편은 장모의 동정표를 등에 업고 엉거주춤 나를 따라나섰다.

그날 밤 키신은 쇼팽의 〈녹턴 3번〉과 드뷔시의 〈프렐류드 2번〉을 연주했다. 왼손은 정확히, 오른손은 최선을 다해 자유롭게 연주하라고 했던 쇼팽의 말을 따르며 자신만의 해석으로 유려하게 건반을 유영했다. 피아노 신동에서 불혹을 넘긴 대가로 성장한 키신이 연주하는 쇼팽은 여린 풀잎이 아닌 단단한 고목나무를 닮아 있었다. 동시에 낭만성을 잃지 않았다. 순간순간 넘실대는 선율에 나뭇잎은 우아하게 흔들렸다. 녹턴이 우리의 마음을 동하게 만드는 까닭은 음표가 자유롭게 움직일 수 있도록 지지해주는 반주부가 있기 때문이라는 해석을 읽은 적이 있다. 뿌리가 굳건한 나무는 어떤 바람에도 흔들리지 않는다. 연주자는 바람의 흔들림과 깊은 나무뿌리의 지지 사이, 그 묘한 유대와 분위기를 자신만의 스타일로 노래한다.

　반면 같은 곡이라도 조성진의 쇼팽은 키신의 쇼팽보다 좀 더 청신한 느낌이 난다. 나이나 성향 탓도 있을 것이다. 클래식은 연주자의 해석에 따라 그 곡을 전하는 감성이 천지 차이고 음악을 받아들이는 청자의 감동 역시 다르다. 조성진은 모 예능 프로그램에 출연해 "미스 터치는 거의 매번 있기에 중요하지 않다. 오히려 전체적으로 어떻게 표현하느냐, 어떤 분위기를 전하느냐에 중점을 둔다"라고 설명한 바 있다.

　그런 면에서 악기를 연주하는 것과 글을 쓰는 것은 닮았다. 같은 악기로 같은 악보를 연주하더라도 연주자마다 느낌이 다르듯, 같은 주제로 같은 한글을 사용해 글을 써도 작가에 따라 글의 분위기는 천차만별이다. 어떤 작가의 글은 멋있고 어떤 작가의 글은 따뜻하고 어떤 작가의 글은 서늘하지만 울림을 준다.

　피아노에 미스 터치가 있다면 글에는 오탈자가 있다. 여러 수강생의 초고를 받아보면 오탈자가 많아도 글이 뿜어내는 에너지 자체가 특색 있는 글이 있는가 하면, 맞춤법에 맞고 비문도 없지만 그저 깔끔하기만 한, 어딘가 모르게 밋밋한 글이 있다. 출판되는 글은 당연히 개성 있는 쪽이다. 엉성한 비문들에 대해서는 오히려 편집자가 나서서 글이 좀 거치니 도와주겠다고 자처하는 경우도 있다. 반면 글쓴이의 색깔이 드러나지 않는 글, 어디서 본 듯한 글, 독자에게 감동을 전하지 못하는 글…… 이런 글에는 출판사도 독자도 별 흥미를 느끼지 못한다.

둘 사이의 차이는 무엇일까. 타고난 글재주도 어느 정도 있겠으나 그 글을 쓰기 위해 얼마나 깊이 생각했느냐, 자기만의 방식으로 표현했느냐도 이유가 될 것이다. 그래서 문장 하나하나보다 더 중요한 것은 전체적인 글의 흐름이다. 조성진의 말처럼 미스 터치보다 중점을 둬야 할 부분은 '무드'다. 분위기가 모여 글의 개성이 형성되고, 나만의 문체가 만들어진다.

김훈 하면 건조하지만 강인하고 동시에 멋스러운 문체를, 무라카미 하루키 하면 세련되고 도시적이며 감각적인 스타일을 떠올리게 된다. 클래식을 잘 모르는 사람도 조성진 하면 쇼팽이 매치된다. 그만큼 그는 쇼팽 연주에서 그 누구도 따라올 수 없는 자신만의 스타일을 확보했다. 세계는 조성진이 만든 새로운 쇼팽의 세계에 흠뻑 빠졌다.

나는 조성진의 쇼팽 연주보다 라흐마니노프 연주를 더 좋아한다. 특히 라흐마니노프 〈피아노 협주곡 2번〉을 2018년 헬싱키 실황 앨범으로 들을 때면 그때 갔어야 했다며 게으름을 질책하곤 한다. 이 곡은 강렬한 타건을 선보이는 1악장도 좋지만, 2악장이 백미다. 엄청난 비바람이 몰아치고 난 뒤 비 갠 날의 평화, 꽃잎에 알알이 맺혀 있는 빗방울의 청초함이 연상된다. 치열한 삶의 전반전 다음에 맞이하는 여유와 달콤함이 깃든 후반전을 조우하는 느낌이다. 아, 음악이란 마치 마술과도 같다. 인생의 희로애락이 전부 담겨 있다.

라흐마니노프의 피아노 협주곡이 아니더라도 대부분 음악은 3악장으로 구성되어 있고 안단테, 포르테 등의 빠르기가 있다. 리듬의 빠르기와 강약을 어떻게 연주하느냐가 음악의 전체적인 분위기를 좌우한다. 글쓰기도 마찬가지다. 나만의 문체에 필요한 것은 리듬감이다. 강약 중간약, 박자 조절이 필요하다. 하나 둘 셋, 하나 둘 셋, 쿵짝짝 쿵짝짝(불현듯 영화 〈번지 점프를 하다〉에서 이병헌에게 왈츠를 권했던 이은주가 떠오른다. "혹시 왈츠 출 줄 아세요?" 설레는 대사와 배경 음악으로 흘러나왔던 쇼스타코비치의 〈왈츠 2번〉도……) 마치 왈츠 스텝을 밟듯 글에 리듬을 넣어보자. 이 방법이 좀 낯간지러운 분들은 낚시를 한다고 생각해도 좋겠다. 문장을 낚싯줄처럼 풀었다 조였다 해보는 것이다.

문장에 리듬을 부여하는 가장 기본적인 방법은 글자 수를 조절하는 것이다. 문장이 단문으로만 이어진다면 격식을 차린 듯 딱딱해지기 쉽고, 장황하게 이어지는 장문은 글의 주제를 파악하기 어렵다.

"그죠. 그게 젊음이지. 어른이 별건가. 지가 좋아지지 않는 인간하고도 잘 지내는 게 어른이지. 안 그래요, 이 선생?"

이럴 땐 뭐라 해야 하나. 그렇다 하면 위선자 같고 아니라 하면 점잔 빼는 것처럼 보일 텐데…… 갈등하는 사이 곽 교수가 말을 이었다.

"호오好惡가 아니라 의무지. 몫과 역을 해낸다고 생각하면 되는데. 사람 재는 자가 하나밖에 없는 치들은 답이 없어요. 아주 피곤해."●

이 글에서 첫 단락의 글자 수를 세어보면 처음에는 2글자로 시작해 6글자, 22글자로 쭉 늘어났다가 다시 4글자, 3글자로 줄어든다.

그죠(2글자), 그게 젊음이지(6글자), 어른이 별건가(6글자), 지가 좋아지지 않는 인간하고도 잘 지내는 게 어른이지(22글자), 안 그래요(4글자), 이 선생(3글자).

아울러 대화체와 설명체를 적절하게 섞어서 더욱 실감이 난다. 낚싯줄을 훅 던졌다가 휘리릭 감아낸다. 월척이다!

이에 한 가지 더해 우리는 종결 어미를 통해서도 리듬감을 부여할 수 있다. 예문을 다시 보자. '안 그래요', '이었다', '되는데', '피곤해'. 같은 종결 어미로 끝나는 문장이 없다. 대부분 종결 어미는 '-다'로 끝나는 경우가 많다. '다다다'의 잔치라고 해도 과언이 아니다. 글에 생동감을 불어넣어 주고 싶다면 '-다'가 만든 'ㄷ의 감옥'에서 탈출해보자. 어미를 변주

● 김애란, 『바깥은 여름』, 문학동네, 2017년.

해보는 것이다. 우리말의 어미는 알고 있는 것보다 더 다양하다.

　~다.

　~요.

　~죠.

　~까.

　~텐데.

　~아닐까.

　~할지도.

뿐만 아니라 마침표, 물음표, 느낌표, 말줄임표 등 문장부호를 사용해 문장의 형태를 바꿔 활용할 수도 있다.

평서형: 글을 쓴다.

감탄형: 글 쓰는구나!

의문형: 글 쓰세요?

명령형: 글 좀 써봐라!

청유형: 글 써보실래요?

독백형: 글 써보고 싶은데…….

다시 한 번 문체와 리듬감에 대해 정리하면 다음과 같다.

1. 단문과 중문을 적절하게 섞어 쓴다.
2. 평서형, 의문형 등으로 어미를 변주한다.
3. 문장부호를 활용해 문장 형태를 다채롭게 만든다.

역사는 반복되고 인생은 과거, 현재, 미래로 하나의 방향을 향해 직선으로 흐른다. 하지만 그 시간을 살아내는 현실적인 삶은 직선일 때보다 곡선일 때가 더 많다. 어디를 향해 나아갈지 종잡을 수 없는 그 굴곡진 선들이야말로 글을 쓰는 이유일지도 모른다. 반복과 변주 사이 어딘가에서 우리네 삶은 춤을 춘다. 몸치라 왈츠는 못 춰도 글에서만큼은 시적인 왈츠를 마음껏 춰보고 싶다. 쿵짝짝 쿵짝짝 왈츠 출 줄 아세요?

자연에게 빌려 쓰는 결말

"한국 드라마는 마지막 회가 제일 재미없어."

뼈 때리는 말이었다. 한 번도 생각해보지 못한 의외의 평가. 나보다 한국의 드라마와 인디밴드를 더 잘 알고 있는 독일인 친구 C. 그녀는 SF9의 찬희를 좋아해서 한국 이름을 찬희로 했을 정도로 한국 문화에 관심이 많았다.(아이돌에 문외한인 나는 찬희가 누군지도 몰랐다.) C는 웬만한 한국 문화는 거의 간파하고 있었는데, 자신은 특히 한국 드라마를 사랑하지만 왜 미드처럼 시즌제를 안 하는지, 왜 마지막 회는 항상 해피 엔딩으로 끝나는지가 의문이라고 했다. 1화부터 10화까지는 한껏 긴장감이 올라가는데 후반부로 갈수록 몰입도가 흐지부지해진다는 것이다. 일리 있는 지적이었다. 그러고 보니 모든 것이 꿈으로 끝나서 엄청난 비난을 받았던 〈파리의 연인〉과 〈재벌집 막내아들〉, 마약의 중독성을 경고했던 〈슬기로운 감방 생활〉 정도가 기억에 남는 드라마 엔딩이다.

C의 지적은 틀리지 않지만 쓰는 사람으로서 작가들의 심경도 헤아려진다. 드라마는 대중적인 장르다. 보통 16회로 길게 호흡하다 보니 사람들은 마치 내 일인 양 몰입한다. 우리는 매회 주인공을 응원하고 잘되기를 바란다. 만약 새드 엔딩이거나 허무하게 끝이 난다면 드라마 게시판에 불이 난다. '작가가 발로 썼냐!, 작가 나와라!, 우리 ○○이 살려내라!' 등등. 드라마 작가들 역시 엔딩을 두고 얼마나 골머리를 싸맬까. '왕자와 공주는 행복하게 살았습니다'가 무조건 좋은 엔딩은 아니니까. 글은 시작도 어렵지만 결말은 더 어렵다.

"그냥 '여름이었다'로 끝내!"

흔히 작가들끼리 우스갯소리로 이런 말을 한다. 가타부타 부연하기보다 자연에 빗대어 결말을 써보라는 뜻이다. 이 말은 농담 반 진담 반이지만 명언이다. 뻔한 엔딩에서 벗어날 수 있는 가장 좋은 팁은 '자연'이다. 나 혹은 주인공의 심리나 예상되는 미래를 자연에 빌려 쓰는 것이다.

만약 남녀가 사귀게 될 것임을 암시하고 싶다면 '둘은 사귀기 시작했다'가 아니라 '봄꽃이 그녀의 얼굴을 스쳤다'라거나 '참 재미있는 하루였다'가 아니라 '온종일 내 마음은 맑음' 등이 예가 될 수 있다. 실제로 초등학생들과 수업을 해보면 엔딩에 어김없이 등장하는 삼총사가 있다.

"참 재미있었다."
"다음에 또 가고 싶다."
"나도 주인공처럼 될 것이다."

이 삼총사는 도원결의라도 했는지 아주 똘똘 뭉쳐서 절대 헤어질 생각을 안 한다. 모든 십 대에게 탑재되어 있는 것이 아닐까 하는 합리적인 의심마저 든다. 보통 이런 글을 받으면 나는 그 당시의 마음을 계절에 빗대어 표현해보라고 재주문한다. 놀랍게도 아이들은 곧바로 피드백을 받아들이고 변화를 보인다. 나조차 예상치 못한 색다른 글을 써낸다. 봄날에 산책을 한 학생(중국 톈진 화란 국제학교 6학년)의 글이다.

제목 : 봄이 왔네

점심을 먹고 소화를 시킬 겸 아파트 단지를 돌았다. 햇볕이 따뜻하고 바람이 없어서 춥진 않지만 공기가 좋지 않았다. 엄마, 아빠는 포근하다고 하셨고, 나는 이마에 땀이 나고 외투를 벗어야 할 만큼 더웠다.

땅에서 새싹이 길게 자라 있고 개나리가 활짝 핀 것을 발견했다. 엄마가 "어머 개나리가 피었네, 봄이네 봄!"이라고 하셨다.

주위를 둘러보니 저번에 꽁꽁 얼었던 호수의 얼음이 어느새 남김없이 녹아내려 있었다. 겨울이 천천히 물러서고 봄이 계절을 개척하러 왔다. 우리 아파트 단지에는 까치도 많고 참새도 참 많다. 소나무 사이사이에 앉은 참새들이 끊임없이 짹짹거리고 까치들은 여기저기 총총 걸어 다니며 먹이를 찾고 있었다. 한참 동안 참새, 까마귀,

|새|싹|,| |개|나|리|를| |구|경|한| |후| |엄|마|,| |아|
|빠|와| |같|이| |고|양|이|들|을| |보|러| |갔|다|.| |나|
|는| |너|무|나|도| |설|렜|다|.| |고|양|이|들|을| |휘|파|
|람|으|로| |불|러| |모|아| |밥|을| |주|는| |아|주|머|니|
|도| |계|시|고| |고|양|이|들|을| |정|원|에| |재|워|주|는|
집	도		있	다	.		고	양	이	들	한	테		가	보	니		방	금
주	인	이		씻	겨		줬	는	지		물	기	가		있	는		털	이
고	슴	도	치	의		가	시	처	럼		삐	죽	삐	죽		곤	두	서
있	었	다	.		고	양	이	들	은		햇	빛	에		앉	아	서		혀
로		털	을		싹	싹		핥	고		있	었	다	.					
	저		멀	리		농	구		코	트	에	서		농	구	를		하	는
아	이	들	도		보	였	다	.		나	도		아	빠	와		농	구	를
하	고		싶	은		마	음	에		발	길	을		옮	겼	다	.		나
는		아	빠	와		시	합	할		때		골	을		많	이		넣	을
수		있	어	서		기	분	이		좋	다	.		농	구	를		끝	낸
후		슬	거	운		마	음	으	로		집	에		왔	다	.				

산책을 생동감 있게 묘사했는데, 결말이 다소 밋밋하다.
이에 나는 그 당시 봄을 마주한 기분을 마찬가지로 봄이라
는 계절로 표현해보자고 제안했다. 가령 '벚꽃이 날렸다', '연
둣빛 옷을 갈아입은 나뭇잎처럼 마음이 초록으로 물들었다'
등으로……. 초롱초롱한 눈빛으로 내 말을 듣던 아이는 이
내 다음과 같이 결말을 바꿔 썼다.

농	구	를		끝	낸		후		즐	거	운		마	음	으	로		집	에
왔	다	.		봄	이		오	는		기	운	을		느	껴	서		내	
입	에		꽃	잎	이		피	는		것		같	다	.		자	꾸	만	
휘	파	람	이		나	온	다	.											

'즐거운 마음으로 돌아왔다'와 '내 입에 꽃잎이 피는 것 같다. 자꾸만 휘파람이 나온다'의 차이는 한 끗에서 나온다. 봄날을 대하는 마음을 자연에 비유해보라는 조언에 새로운 문장이 탄생했다.

드라마의 결론을 두고 갑론을박이 이어지는 것도, C가 아쉬움을 표현한 것도 사람들이 마지막을 좀 더 오래 기억하기 때문일 것이다. '유종의 미'는 '끝'을 중요하게 여겨서 만들어진 말일지도 모르겠다. 우리는 곧잘 '끝이 좋으면 다 좋다'고 한다. 이제는 관용구처럼 되어버린 이 말은 한참을 거슬러 올라가 셰익스피어의 희곡 『끝이 좋으면 다 좋다 All's Well That Ends Well』가 원조라는 설이 지배적이다. 톨스토이 역시 『전쟁과 평화』 대신 '끝이 좋으면 다 좋다'라는 제목을 쓰려 했다고 한다. 세계적인 문호들이 즐겨 쓴 걸 봐도 확실히 명언은 명언이다. 이따금 힘든 일이 생길 때 주문처럼 외는 말, '끝이 좋으면 다 좋다'. 이 말은 인생에서도 글쓰기에서도 가장 어려운 숙제로 남아 우리네 머릿속을 괴롭힌다. 그럴 때는 뭐다? '여름이었다'로 끝낸다.

결말이란 전체를 요약하고 통괄하는 문장이다. 그렇다고 앞에 쓴 말을 지나치게 반복해선 안 된다. 정리와 반복은 분명 다르다. 전체를 함축적으로 표현할 수 있는 한두 문장이면 족한데 앞에서 했던 말을 굳이 또 반복할 필요는 없다.

결말 쓰기의 팁 첫째, 처음으로 돌아가본다. 초심으로 돌아간다는 것은 인생뿐만 아니라 글쓰기에도 해당한다. 글이란 결국 인생이 아니던가. 서두와 결말의 균형을 맞추는 것이 중요하다. 용두사미는 나쁜 예다. 앞에서 엄청난 이야기를 할 것처럼 시작했다가 맥락 없는 이야기로 끝맺으면 안 된다. 결말이 어려울 땐 처음으로 거슬러 가본다. 매듭이 꼬여 있을 때 첫 매듭을 찾는 것이 해결 방법이듯 결말이 풀리지 않을 때는 첫 문장을 살펴보자. 이 글을 왜 쓰게 됐는지 시작점을 다시 더듬어보면 신기하게도 엔딩 지점이 보인다.

글을 쓴다는 것은 동그라미를 그리는 것과 같다. 처음에 찍은 한 점이 쭉 꼬리에 꼬리를 물면서 한 바퀴 돌아 다시 원점으로 돌아오는 것이다. 동그라미는 처음과 끝이 만나는 수미상관 기법과도 맞닿아 있다. 절대 처음과 끝을 떨어트려 놓으면 안 된다. 이 둘을 만나게 해주세요, 제발.

둘째, 감정을 지나치게 표현하지 않는다. '너무너무 슬퍼서 눈물이 났다', '미칠 것 같다'와 같은 최상급 표현은 지양한다. 읽는 입장에서 감정의 폭발이 부담스러울 수 있고 누구나 구사할 수 있는 액면적인 표현에 감동을 받기란 쉽지 않다. 작가가 쉽게 쓴 글은 마찬가지로 독자에게도 쉽게 잊힌다.

셋째, 가르치려는 듯한 교훈적인 글귀나 자기 자랑은 쓰지 않는다. 물론 글 쓰는 이가 스스로 좀 잘났다고 생각할 수도 있다. 다만 글이라는 것은 글자로만 전달되는 수단이다 보니 영상처럼 배경 음악이나 자막, 표정 등 부차적으로 감정을 전하기가 쉽지 않다. 그렇기에 표현에 더 세심한 주의를 기울여야 한다. 군이 독자는 가르치려 하고 잘난 척하는 뉘앙스의 글을 돈 내며 사서 읽지는 않을 것이다. 〈겸손은 힘들어〉라는 노래도 있지만, 글은 단연코 겸손해야 한다.

넷째, 다짐으로 끝맺지 않는다. 우리에겐 착한 사람 콤플렉스가 있는 것도 같다. 마음속에 내재한 성선설이 결말에서 발목을 잡는 경우가 있다. 나는 좋은 사람이 되어야겠다, 긍정적인 삶을 살고 싶다, 착한 딸이 되어야겠다 등의 표현은 나쁘지 않지만 매력적이라고 하기는 어렵다. 예를 들어 한 수강생이 '성격이 정반대인 남편과 나'라는 주제의 글을 쓴 적이 있다. 나는 잘 버리지 못하는 맥시멀리스트인데, 남편은 일 년 이상 안 쓰면 버리는 미니멀리스트였다. 상반된 캐릭터로 인한 여러 에피소드를 재밌게 썼는데 마지막에 그래도 뭐든 꼼꼼한 남편 덕분에 우리 가족이 잘 살아왔다, 나도 현명한 아내가 되도록 노력해야겠다는 내용으로 마무리했다. 풍선이 한없이 부풀어 오르다가 갑자기 푸르륵 김이 빠진 느낌이 든다. 이 글의 경우 본문은 그대로 두고 결말만 바꿨다.

뭐든지 정리를 위해 버리고 보는 남편의 면모를 긍정적으로 받아들여야 했는데, 아이의 외마디가 들린다.

"엄마! 내가 지난번에 그린 그림 어딨어? 또 아빠가 버렸어? 힝~"

웃음과 여지를 남긴 결말은 글쓰기 모임에서 호평을 얻었다. 꼭 교훈적인 결론을 맺어야 한다는 강박을 느낄 필요는 없다. 해학을 통해 씨익 웃게 만들 수도 있고 결론을 맺지 않고 '잘 되겠지?', '~라는 뜻 아닐까?'와 같은 질문으로 끝낼 수도 있다. 결론의 결을 다각도로 열어놓고 생각해보자.

다섯째, 감정이나 미래를 날씨나 환경에 대한 묘사로 표현한다. 문장 그대로 '주인공이 행복하게 잘 먹고 잘 살았습니다'로 끝나는 문학 작품은 거의 없다. 작가들은 자신이 창조한 극 중 인물의 상황이나 미래를 자연에 빗대어 암시한다. 우리를 힘들게 했던 수능 언어 영역의 문학 제시문 역시 대부분 이와 연계해 출제된다. 문학 영역에 취약한 아이들은 책을 많이 읽지 않았거나, 독서량은 풍부하지만 작가의 의도를 제멋대로 해석하거나 은유적 표현을 이해하지 못해서일 가능성이 크다.

막간 퀴즈. 황석영의 『삼포 가는 길』에 대한 수능 모의 평가 문제를 보자. 아래의 문장은 작품의 마지막 부분이다.

> 그때에 기차가 도착했다. 정 씨는 발걸음이 내키질 않았다. 그는 마음의 정처를 방금 잃었던 때문이었다. 어느 결에 정 씨는 영달이와 똑같은 입장이 되어 버렸다.
> ⓑ기차가 눈발이 날리는 어두운 들판을 향해서 달려갔다.
>
> **12. ⓑ에 대한 설명으로 가장 적절한 것은?**
> ① 새로운 갈등을 제시한다.
> ② 작품의 주제를 구체적으로 전달한다.

③ 인물의 갈등이 해소되었음을 의미한다.
④ 인물의 심리와 결말을 암시하며 여운을 남긴다.
⑤ 앞으로의 내용 전개 방향이 전환될 것임을 암시한다.

(갑자기 머리를 아프게 한 점, 심심한 사과의 말씀을 드립니다.)

작가는 주인공의 녹록지 않을 미래를 '기차가 어두운 들판을 향해 달려가는 것'으로 암시했다. 정답은 ④번이다. 우리는 이 대목에서 결말 쓰기의 팁을 얻을 수 있다. 앞서 언급한 '여름이었다'로 끝내는 기법이 이 소설에서도 적용된다. 자연에 빗대어 속마음을 표현해보자.

가령 『레 미제라블』 서평에서 나는 가난에도 빛이 있다는 메시지를 전하기 위해 다음과 같이 엔딩을 썼다.

빛나지 않는 사람은 없다. 단지 먹구름에 의해 가려져 있을 뿐.
칠흑 같은 밤에 별은 더 반짝인다.●

● 강가희, 『다독이는 밤』, 책밥, 2021년.

특히 에세이라는 장르는 더더욱 결론을 맺거나 교장 선생님 담화(물론 재미있는 말씀도 있겠지요)와 같은 교훈을 줄 필요가 없다. 당최 내 마음을 알 수 없다면, '알 수 없다'로 끝내도 된다. 솔직함이 에세이의 백미이다. 내 감정마저 인위적으로 바꾸지 말자. 스스로 마음을 포장하려 든다면 글은 작위적으로 느껴질 수밖에 없다. 즉 독자의 마음을 흔들기 어렵다. '진심은 통한다'는 격언은 글쓰기에도 해당한다.

집필 노동자의
생계형 글쓰기

실용 글쓰기

감각을 동원해 감응을 이끌어내는 일

"그래서 며늘아기는 무슨 일 해?"

상견례 후 시어머니께서 남편에게 물었다. 그도 그럴 것이 우리 가족도, 주변 사람들도 내가 정확히 무슨 일을 하는지 잘 모른다. 아나운서는 프로그램을 진행한다. 피디는 촬영 및 편집을 한다. 기자는 기사를 쓰고 보도한다. 그렇다면 방송작가는 대체 무슨 일을 하는 거지? 드라마 작가는 극본을 쓴다는데, 방송작가는 연예인들이 하는 말을 미리 다 써주는 건가? 방송작가로 밥벌이를 한 지 20여 년이 되는 나조차도 방송 제작 시스템을 잘 모르는 누군가에게 내 일을 설명하기란 쉽지 않다.

큰 틀에서 보자면 방송작가는 출연자를 섭외하고 구성 대본을 쓴다. 즉 아나운서나 진행자가 말하는 멘트 혹은 내레이션을 쓴다. 이렇게 설명하면 이어지는 질문은 한결같다. "예능도 대본이 있어요?" 물론 있다. 단 대사가 아닌 구성안이 주를 이룬다. '구성'이란 출연자들을 위해 일종의 판을 깔아주는 작업이다. 어디에 가서 어떤 일을 해야 하는지 등 각 신scene이 담긴 구성안을 쓴다. 구성안에는 편집 지점 혹은 중심을 잡기 위한 대사가 들어갈 때도 있다. 연예인은 써준 대사를 그대로 소화하기도 하고 자신만의 스타일로 변용하기도 한다. 협찬이 주어졌다면 구성안에 자연스럽게 녹아내기도 한다.

출연자 섭외와 구성안 작성, 이 두 가지를 작가의 주된 업무라고 할 수 있으나 실제로는 훨씬 많은 업무를 도맡아 하기에 사실상 방송작가는 작가가 아니라 '잡가雜家'에 가깝다. 기획안, 섭외, 현장 답사, 소품 체크, 촬영 구성안, 편집 구성안, 내레이션, 자막까지 온갖 일을 다 한다.(그러니 이걸 어떻게 처음 만난 사람에게 다 설명하나요?) 이 같은 이유로 방송작가는 글을 잘 쓴다고 해서 오래가는 것도 아니다. 이 업계에서 십년 이상 제 가치를 인정받으며 살아남으려면 다음의 세 가지 능력 중 최소한 하나는 탑재하고 있어야 한다고 생각한다.

1. 섭외를 잘하는 작가
2. 아이디어가 좋은 작가
3. 글을 탁월하게 잘 쓰는 작가

만약 이 세 가지 역량을 다 보유하고 있다면 당신은 최고의 방송작가가 될 것이다. 섭외는 교양과 예능 전 분야에서 필요한 부분이고 아이디어는 예능에, 글쓰기는 교양에 좀 더 어필할 수 있는 능력이다. 나는 이 세 가지를 애매하게 조금씩 갖춘 탓에 라디오, 교양, 예능을 두루 경험해보았다. 여러 프로그램을 하다 보면 적성에 맞는 프로그램을 직간접적으로 알게 된다. 나에게는 다큐멘터리가 가장 힘들었지만 직업적 보람과 일의 희열을 맛본 장르였다.

다큐멘터리 내레이션 대본은 흔히 토하면서 쓴다고 표현

한다. 먼저 피디가 찍어 온 영상을 글로 옮긴다. 이를 프리뷰라고 하는데, 양이 워낙 방대해 작가가 직접 하지 않고 일 분당 얼마씩 가격을 책정해 프리뷰어에게 맡긴다. 프리뷰 작업물만 해도 수백 장이 된다. 작가는 프리뷰를 보면서 해당 영상을 찾아보고, 구성안을 짜고, 내레이션을 쓴다. 한 시간짜리 내레이션을 쓰기 위해서는 인고의 시간이 필요하다. 자판을 하도 두드려서 손가락 피부가 다 벗겨진 적도 있다. 내레이션은 화면과 어우러져야 하고 메시지를 전할 수 있어야 하며 간결해야 한다. RT(러닝 타임)가 맞아야 하므로 초 단위로 대본을 쓴다. 마지막 퇴고는 휴대폰으로 스톱워치를 설정해놓고 대사가 몇 초 단위로 끝나는지 세어가며 어미를 바꾸기도 한다. '있는데요'와 '있다', 단 두 글자 차이로 '초' 시간이 달라지기 때문이다.

내레이션을 맡은 성우와 글의 톤도 맞춰야 한다. 남자냐 여자냐, 평소에 성우가 말을 빠르게 하느냐 느리게 하느냐에 따라서도 글의 맵시가 달라질 수 있다. 무엇보다 큰 고충은 때로 의미 없는 영상을 끼워놓은 피디 탓에 그것을 의미 있는 글로 포장해야 할 때다. 영상에 의해 흐름이 이어지는 것이 아니라 내레이션을 통해 어거지로 의미를 만들어야 한다. 방송이 코앞이라 당장 편집을 바꿀 수 없으니, 머리를 싸매고 욕을 하며 어찌어찌 말이 되게 쓴다. 반대로 피디가 내레이션이 별로라며 작가에게 수정을 요구하기도 하고, 작가와 피디는 이판사판 공사판으로 싸우기도 한다. 크게는 방송한 시간을 위해, 가끔은 대세에 지장을 주지 않는 단 30초를 위해 제작진은 밤새 입씨름을 하는데, 그중 하나가 '중계 대본'이다.

'최악의 대본은 중계 대본이다'라는 말이 있다. 중계방송은 스포츠 방송에서 흔히 볼 수 있는 형태로, 해설자가 경기를 보며 일어나는 상황 그대로를 전하는 대본을 말한다. "A 선수가 왼쪽으로 공을 패스했습니다." "와! 드디어 골을 넣었군요." 시청자에게 사실을 실감 나게 전하는 이 멘트는 스포츠 중계방송에서는 허용된다. 하지만 다큐멘터리 내레이션을 작성하는데 화면에 보이는 그대로 중계 멘트를 쓴다면, 그것은 작가의 역량이 부족함을 드러내는 것일 뿐만 아니라 자존심을 구기는 일이다.

이제 막 일을 시작한 방송작가들이 흔하게 하는 실수도 중계 멘트다. 화면에 보이는 그대로를 글로 옮겨 쓰는 것이다. 소가 지나가면 "소가 지나갑니다", 할머니가 등장하면 "할머니가 집에서 나오십니다", 이렇게 영상에서 보이는 그대로 쓸 거라면 내레이션은 없어도 된다. 시청자는 화면을 통해서 이미 소와 할머니를 보고 있다. 구태여 말로 설명하지 않아도 된다. 글자 낭비이자 전파 낭비이다.

좋은 내레이션은 화면의 내용을 설명하면서 동시에 메시지를 전할 수 있어야 한다. 주인공이 바쁜 하루를 보낸 뒤 두유 한 팩으로 배고픔을 달랜다. 이 장면에서는 "○○ 씨는 두유를 마신다"가 아니라, "겨우 두유 한 팩으로 식사가 될까요?"를 통해 주인공이 힘들게 살아가고 있음을 시청자에게 직간접적으로 전달한다. 즉 감정을 동반한 묘사가 핵심이다.

가령 네팔에 여행을 간 일행이 도로 한복판에서 소 떼를 만났다. 어쩔 수 없이 소 떼가 지나가기를 기다려야 하는 상황이다.

"이런, 소를 만났습니다. 네팔에서는 길에서 소 떼를 만나면 기다려야 한다는군요."

재미없고 성의 없는 내레이션의 예다. 좀 더 의미를 부연해서 다음과 같이 쓸 수 있다.

"뜻밖의 기다림을 통해 일행은 잠시 쉬어 감을 배웁니다. 길옆으로 하늘거리는 꽃들이 마치 천천히 가도 된다고 말하는 것 같군요."

화면으로 보이는 사실을 표현하되 작가의 시선을 반영할 것. 같은 영상을 보고 또 보고 질리도록 보면서 별 의미 없는 소 영상에 의미를 부여하는 것이 모두가 궁금해하는 '방송작가의 진짜 일'이다. 그 특별하고 세심한 시선이 쌓이고 쌓여 한 편의 의미 있는 다큐멘터리가 제작된다.

다큐멘터리를 예로 들었지만 중계방송의 무덤에 빠지기 쉬운 프로는 영화 프로그램이다. 영화 소개가 주 내용이니 당연히 극 중 주인공의 행동을 그대로 옮겨 쓸 수밖에 없지만, 절대(!) 그렇게 써서는 안 된다. 내 이력 가운데 EBS 〈시네마 천국〉과 SBS 〈접속 무비월드〉는 가장 하고 싶었던 프로그램이자 골머리를 싸맨 프로그램이었다.

만약 영화에서 그릇 깨지는 장면이 나왔다면 대본에 "와장창! 그릇이 깨졌네요"라고 쓰지 않는다. 다음과 같이 쓴다.

#그릇 깨지는   NA// 하지만 모녀를 갈라놓을
                     죽음의 그림자는 점점
                     다가오고.

(대본에서 # 표시는 장면을, NA//는 내레이션을 지칭한다.)

다음은 영화 〈석조저택 살인사건〉의 한 장면이다. 한 인물이 공연 포스터를 붙이는 상황인데, 화면에 보이는 그대로 "공연 포스터를 붙였다가 찢는다"로 썼다면 메인 작가가 따로 부를 것이다. "○○야, 우리 커피 한잔할래?"(무섭다.)

#포스터 붙이는   NA// 첫 부산 공연을 앞둔 그날,
#포스터 찢는   아니나 다를까
                      불길한 예감은 역시나
                      적중합니다.

내레이션은 내용을 전달하는 것이 아니라, 시청자가 상황을 예측하거나 감정에 공감하거나 다른 생각을 도출해내는 데 도우미 역할을 해야 한다.

내레이션 기법을 통해 우리는 '묘사'의 원리를 배울 수 있다. 보통 '묘사'라고 하면 보이는 그대로 쓴다고 여긴다. 인상착의나 계절의 분위기 등을 사실적으로 표현한다. 특히 자연을 묘사할 때는 각종 미사여구를 통해 꾸미는 말을 한껏 쓰기도 한다. 얼핏 읽었을 때는 멋있어 보이겠지만 유감스럽게도 좋은 글이라고 할 수 없다. 있어 보이는 척하는 중계방송일 뿐이다. 있는 그대로 사실적으로만 그린 그림이 큰 감흥을 주지 못하는 것과 같은 맥락이다.

훌륭한 묘사는 분위기를 전달한다. 나아가 감정을 불러일으키기도 한다. 보통 처음 글을 쓸 때는 시선에 의지해 묘사와 비유를 하는 경우가 많다. 어쩌면 우리는 워낙 보이는 것이 중요한 시대를 살고 있어서일지도 모르겠다. 시선을 자극하는 휘황찬란한 것들로부터, 다른 사람의 시선으로부터 벗어나기란 쉽지 않다. 나 역시 마찬가지이다. 그렇지만 분명 살면서 한 번쯤은 보이는 것 저 너머를 생각해볼 필요도 있지 않을까.

원천적으로 시각을 배제하라는 뜻은 아니다. 묘사란 감각을 동원해 감응을 이끌어내는 일이다. 내가 경험한 혹은 만들고 싶은 분위기를 청각, 시각, 촉각, 후각, 미각을 총동원해 표현하는 것이다.

책을 읽다 보면 시각이 아닌 다른 감각에 충실한 글들을 만날 때가 있다. 이 순간 나는 더없이 새롭고 흥미로운 감정이 인다. 가령 클레어 키건의 소설 『맡겨진 소녀』를 읽을 때는 내내 청각에 안테나를 곤두세웠다. 일반적으로 초원의 소를 표현한다면 다음과 같이 쓴다.

소가 풀을 뜯는다.

시각적 표현이다. 『맡겨진 소녀』에서는 청각에 집중한다.

젖소들이 뿌리만 남기고 풀을 뜯는 소리가 들린다.•

'소가 풀을 뜯는다'와 '소가 풀을 뜯는 소리가 들린다'에

● 클레어 키건, 허진 옮김, 『맡겨진 소녀』, 다산책방, 2023년.

는 큰 차이가 있다. 시각에서 청각으로 치환했을 뿐인데 글이 전하는 분위기는 사뭇 다르다. 뻔한 표현에서 벗어나는 방법은 바로 이 지점에 있다. 시각이 아닌 다양한 감각을 동원해보는 것이다.

마쓰이에 마사시의 소설『여름은 오래 그곳에 남아』는 짙은 후각으로 남아 있는 책이다. 더운 여름을 시각적 표현으로 쓴다면 '여름날 태양이 내리쬔다'라고 하겠지만, 이 책에서 작가는 "태양을 쬔 잔디 냄새, 압도당할 것 같은 매미 소리"◆로 표현한다. 갑자기 바싹 마른 잔디의 쌉쓰름한 냄새가 코끝을 간지럽히는 것 같다. 또 다른 예를 보면, '비가 그쳤다'로 표현할 수 있겠으나 작가는 다음과 같이 쓴다. "비는 한 시간 남짓해서 그쳤다. 유리창을 열자 서늘하고 축축한 공기가 흘러 들어왔다. 비에 씻긴 초록에서 솟구치는 냄새." 독자는 비 내린 뒤의 녹진함과 싱그러움이 공존하는 시공간을 따라 쿵쿵 냄새를 맡게 된다. 이 책을 떠올리면 풋풋한 초여름 냄새가 온몸에 진동을 한다.

촉각이 떠오르는 작품은 아주 오래전 '소확행'이라는 단어를 탄생시킨 무라카미 하루키의 수필집『랑겔한스섬의 오

◆ 마쓰이에 마사시. 김춘미 옮김.『여름은 오래 그곳에 남아』. 비채.
  2016년.

후』다. "정결한 면 냄새가 풍기는 하얀 셔츠를 머리에서부터 뒤집어쓸 때의 그 기분이란 역시 소확행의 하나이다", "따끈 따끈이란 형용사가 딱 어울린다. 봄의 따스한 어둠 속에서, 나는 살면서 손을 뻗어 랑겔한스섬의 물가를 더듬었다"• 등 작가는 유려한 문장으로 내 심장에 간질거림을 선물했다.

하루키 글의 매력은 일상성의 특별함에 있다. 셔츠를 입는 단조로운 행위마저 그의 책에서는 뭔가 멋져 보인다. "그녀 는 라코스테의 핑크색 폴로셔츠와 흰색 면 미니스커트를 입 고, 머리는 뒤로 묶고 안경을 끼고 있었다."◆ 꽤 긴 세월이 지 났음에도 그의 과거 작품들이 여전히 세련되고 이국적인 정 취를 풍기는 힘은 어디에 있을까. 여러 요인이 있겠으나 디테 일한 묘사와 자연스럽게 오브제처럼 등장하는 특정 브랜드 에 대한 언급이 아닐까 한다.

어쩌면 라코스테는 소설 속 간접 광고의 서막이었을까. 하 루키의 데뷔작인 『바람의 노래를 들어라』 외에도 라코스테 라는 브랜드는 그의 작품에 꽤 자주 등장한다. 질레트의 쉐 이빙 폼으로 면도를 하면 "창밖으로 와이키키 해변의 파도소 리가 들려오는 듯한 기분이 든다"▲라고 표현하는가 하면, 폴

• 무라카미 하루키, 김난주 옮김, 『랑겔한스섬의 오후』(무라카미 하루키 수필집 3), 백암, 2002년.

◆ 무라카미 하루키, 윤성원 옮김, 『바람의 노래를 들어라』, 문학사상사, 2006년.

로셔츠, 레이밴 선글라스, 태그호이어, 렉서스, 치노팬츠, 줄줄이 이름을 외기 어려운 와인 및 위스키도 곧잘 언급된다. 이런 특정 브랜드들은 고가와 중가, 저가가 혼재되어 있는데 하루키의 소설 안에서만큼은 모든 소재 하나하나가 뭔가 있어 보이는 분위기를 형성한다. 독자는 브랜드들을 통해 주인공의 취향을 읽을 수 있을 뿐만 아니라 그의 작품을 덮고 나면 묘하게도 그 상품이 각별해 보이고 가끔은 소비로까지 이어진다.

묘사와 비유를 할 때는 세세한 브랜드에 유념해보자. 꼭 세련되고 고급스러운 상표를 말하는 것은 아니다. 돌아가신 외할머니에 대해 쓴다면, '외할머니는 늘 담배를 피우셨다'라고 할 수도 있지만 '외할머니는 늘 가늘고 긴 장미 담배를 피우셨다'라고 표현했을 때, 독자는 해당 장면을 연상해볼 수 있고 시대적 배경까지 유추해볼 수 있다. 또한 '아 맞아, 우리 할아버지도 장미 담배 태우셨는데', '우리 할머니는 청자였어'라며 내 글에 공감할 수도 있다. 그러니까 그냥 티셔츠가 아니라 아주 작은 네이비 포니가 그려진 폴로 반팔 화이트 티셔츠.

▲   무라카미 하루키, 김난주 옮김, 『랑겔한스섬의 오후』(무라카미 하루키 수필집 3), 백암, 2002년.

마지막으로 톨스토이의 『안나 카레니나』는 책 전체가 비유와 묘사의 종합 선물 세트인 작품이다.

> 태양이 구름에 가려지듯 그녀의 얼굴에서 친근감이 사라졌다.●

표정에 대한 묘사이지만 동시에 독자는 인물의 심경 변화를 알 수 있다. 다음 문장도 마찬가지다.

> 잠시 풀잎에 앉아 있지만 금방이라도 무지갯빛 날개를 다시 나풀댈 것 같은 나비와 같은 그녀의 모습.

그녀는 가냘픈 동시에 자유로운 영혼의 소유자일 거라고 유추해볼 수 있다. 작가는 주인공의 엄청난 심경 변화 역시 재치 있는 한 문장으로 표현한다. 브론스키와 사랑에 빠진 안나는 상트페테르부르크 역으로 자신을 마중 나온 남편의 귀를 보고 속으로 생각한다.

● 레프 톨스토이, 박형규 옮김, 『안나 카레니나』, 문학동네, 2010년.

'저 남자 귀가 저렇게 못생겼나.'

아니, 사람 귀가 못생겨봤자 얼마나 못생겼을까!('귀'가 불쌍해 보이긴 처음이다.) 마음이 식어서 귀마저도 못생겨 보이는 것이다. 아무리 생각해도 가여운 귀……. 작가는 안나의 마음이 식었다는 것을 이 한 문장으로 끝내버렸다. 톨스토이는 여자도 아닌데 어쩜 이토록 여자의 심리를 잘 알았을까.

오감을 동원한 묘사는 독자를 색다른 시공간으로 이동시킨다. 생전 느껴보지 못한 다양한 감정을 이끌어내기도 한다. 이것이야말로 글이 빚어내는 환상이 아닐는지.

좋은 글은 대놓고 '이것입니다' 하고 보여주는 것이 아니라 독자가 감응할 수 있도록 '이리 오세요' 하며 유도하는 글이다. 그런 의미에서 작가는 손짓하는 사람이다. 손짓의 종착지는 읽는 이에 따라 달라질 것이다.

또한 작가는 잔잔한 호수에 돌을 던지는 사람이기도 하다. 어떤 형태의 물결로 퍼질지는 독자의 마음에 달렸다.

그리는 글쓰기

'얼굴'을 그린다고 상상해보자. 얼굴형을 시작으로 머리 스타일, 눈썹, 눈, 코, 입, 귀 등을 그려야 한다. 아마 사람마다 똑같은 대상을 그려도 똑같은 얼굴이 나올 수는 없을 것이다. 하지만 이 모습을 한 단어로 표현한다면? '얼굴' 두 글자일 뿐이다. 묘사란 '얼굴'이라고 쓰는 것이 아니라 각양각색의 특징을 가진 얼굴을 표현하는 것이다. 그림 그리듯 글을 써보자.

"은서는 예쁘지만 까다롭다."

이 문장을 놓고 보면 은서가 예쁘다고 하니 받아들이긴 하지만 어떻게 예쁜지, 어떤 캐릭터인지 종잡을 수 없다.

"바람이 불면서 은서의 머리카락이 흩날렸다. 눈은 호수처럼 맑고, 콧날은 오뚝했다. 석류를 머금은 듯한 입술은 굳게 다물려 있었고, 어쩐지 입꼬리 한쪽이 살짝 올라가 있었다. 누가 봐도 미인이었는데, 좀처럼 나이를 분간하기 어려웠다."

물론 취향에 따라 이 얼굴은 못생긴 얼굴일 수 있다. 그렇지만 우리는 글을 통해 은서의 얼굴을 구체적으로 상상해볼 수 있다. '예뻤다', '더웠다', '재미있었다'와 같이 뻔하고 자주 쓰는 형용사를 쓰지 않고 어떻게 상황과 인물을 표현할 수 있을지를 고민해보자.

어떤 소설도 살인 현장을 '참혹했다'라는 한 문장으로 표현하지 않는다. "현장의 나무 바닥은 이미 시뻘건 피로 흥건해져 있었고, 창문 아래 구석에는 누군가가 쓰러져 있었다. 그 옆에는 한 여자가 엎드리고 앉아 거의 실신 상태로 울고 있었다" 등으로 표현한다. 눈에 그려지는 묘사와 함께 감정을 전달하려면 어떻게 해야 할까. 다음에 유의해서 써보자.

1. 그림을 그린다고 상상하며 글쓰기
2. 생각이 떠오르지 않으면 '언제, 어디서, 누가, 무엇을, 어떻게, 왜'의 육하원칙 넣어보기
3. 숫자, 고유명사, 날짜, 이름, 브랜드 등 넣어보기(무라카미 하루키를 따라해보자)
4. 미각, 시각, 후각, 청각, 촉각 등 오감 활용하기
5. '감옥'과 '사색'처럼 서로 어울리지 않는 것들에 빗대어 표현해보기

오른쪽 표에서 말하기 제시문 옆에 숫자, 고유명사, 날짜, 특징, 육하원칙 등을 넣어 그리는 글쓰기로 묘사해보자.

말하기	그리기
차를 타고 바다에 갔다.	우리 가족은 지난 주말, 낡은 구형 폭스바겐을 타고 햇빛이 일렁이고 푸른빛이 아름다운 마이애미 해변으로 향했다.
친구와 떡볶이를 먹었다.	
그 남자는 반팔에 청바지를 입고 서 있었다.	
나는 걸었다.	
여름휴가를 갔다.	
호수 공원이었다.	
자전거를 탔다.	

며칠 밤을 울면서 쓴
고故 김현식

자꾸 눈물이 났다. 당시 나의 별명은 '울보 작가'였다. 대체 왜 이러는 건지 나 자신조차 이해하기 어려웠다. 주체할 수 없을 정도로 울고 또 울었다. 집에서 대본을 쓰다가 울었고, 인터뷰하다가 울었고, 그의 노래를 찾아 듣다가 다시 울먹였다. 돌이켜 보건대 내 인생에 그렇게 울면서 쓴 대본은 유일무이했다. 지금도 그의 노래를 들으며 이 글을 쓰자니 또 눈물이 앞을 가린다. 낮은 바이올린 소리에 얹어진, 임종 직전의 술에 취해 타들어가는 듯한 탁성은 언제 들어도 처연하다. '내 사랑 내 곁에'를 외치던 그는 지금 우리 곁에 없다.

김현식을 좋아한 것도 아니었다. 내 세대는 서태지, 토이, 김동률의 감성에 가깝다. 내가 아는 그의 노래라고는 라디오 작가로 일하던 시절에 비 오는 날이면 틀었던 〈비처럼 음악처럼〉이 전부였다. 사실 특별한 기획도 아니었다. 계절처럼 찾아오는 연례 특집 중 하나였을 뿐.

유난히 11월이 되면 생각나는 가수들이 있다. 쓸쓸한 계절에 홀연히 우리 곁을 떠나버린 사람들. 유재하와 김현식. 공교롭게도 똑같이 11월 1일에 나란히 가버린 두 사람. 그래서 작년엔 유재하였고 올해는 김현식이었다. 물론 뭔가 새로운 것을 보여줘야 한다는 압박감은 있었다. 관련 특집이며 다큐멘터리는 차고 넘쳤으니까.

그를 알기 위해서는 그의 음악을 들어야 했다. 리듬은 대부분 단순했다. 단조로운 선율인데 멜로디를 타고 나오는 목소리는 간단히 설명할 수 있는 결이 아니었다. 힘이 있었다. 마음을 움직이는 힘. 심지어 빠른 비트의 음악마저 사람을 아릿하게 만드는 무언가가 있었다. 물론 그가 이 세상 사람이 아니어서일 수도 있겠지만.

한 주일 내내 음악을 듣고 자료를 찾았고, 이어서 주변 사

람들을 만나기 시작했다. 강인원, 권인하, 김종진······ 김현
식의 친구들. 그중에는 섭외하기 어려운 사람들도 있었는데
김현식 특집이란 말에 하나같이 인터뷰에 흔쾌히 응해주었
다. 누구도 거절 의사를 내비치지 않았다. 대체 김현식은 어
떤 사람이었을까? 잘은 모르지만 '좋은' 사람임이 분명했다.
남은 이들이 증명해 보이고 있으니까. 그들의 공통된 증언은
음악 그리고 술이었다.

음악과 술밖에 몰랐던 사람
술만 안 먹으면 천사였던 사람
요구르트 병에까지 술을 담아서 마셨던 사람

나는 술을 거의 입에도 대지 않지만, 관련 인터뷰를 하고
돌아오는 날이면 술이 마시고 싶어졌다. 하도 그런 말을 들
어서인지, 그의 짧은 삶이 고달프게 느껴져서인지, 대체 술
이 뭐길래 그토록 마셔댔는지 궁금했다. 그때 처음으로 대본
을 쓰면서 술을 마셔봤다. 그만큼 그 사람에 대해 알고 싶었
다. 내가 아무리 애쓴들 절대 김현식이란 사람에게 가닿을

수 없겠지만, 어떤 마음으로 노래를 불렀는지 느껴보고 싶었고 그것을 글로 표현하고 싶었다. 마감에 떠밀려 매주 해치우듯 글을 쓰던 나는 실로 오랜만에 막중한 책임감을 느꼈다. 고인의 음악에 누가 되는 대본을 쓰고 싶지 않았다. 그의 음악은 여전히 살아 있었으니까.

어느 날 문득 그런 생각이 들었다. 그 당시 나는 결혼을 하지 않았지만, 만약 내 남편이 매일 이렇게 술에 취해 음악에 미쳐 있다면 과연 인고하며 살 수 있을까? 대중은 음악에 환호할지 몰라도 정작 같이 사는 사람은 지옥 아닐까. 한 뮤지션의 삶과 노래가 곧 내 삶이 되는 것은 어떤 심경일까. 아내의 마음이 궁금해졌다. 그 질문에서 아내와 남편 김현식, 두 사람의 시점으로 극을 구성한다는 아이디어가 나왔다. 시점을 주인공 한 명이 아닌 둘로 나눈다는 발상이 꽤 신선하다는 평가를 받았다.

대략적인 구성안이 잡히고 내레이션을 쓰기 시작했다. 음악을 다시 듣고 또 들었다. 아침에 일어나서 잠들 때까지, 샤워할 때도 휴대폰을 딸기잼 유리병 안에 넣어놓고 그의 음악을 계속해서 플레이했다. 동시에 쓰고 지우기를 반복하며 며칠 밤을 지새웠다. 단 한 번도 음악을 향한 달음질을 멈춘 적이 없었던 사람, 복수가 차올라 병원에 누워 있을 때도 쓰다 만 곡을 걱정했던 사람, 중단된 녹음이 걱정이지 죽음은 두렵지 않다고 말했던 사람…… 깊은 밤, 그 처연했던 시간 속의 그 사람을 떠올리며 애도하는 마음으로 써 내려갔다.

눈물로 쓴 대본의 더빙 현장도 눈물바다였다. 내레이션을 맡은 아나운서도 성우도 울었다. 일반적으로 작가는 더빙실에 들어가지 않는데, 피디는 녹음하면서 처음으로 엔지니어들에게서 대체 작가가 누구냐는 질문을 받았다며 당시 뜨거웠던 분위기를 전해주었다. 김현식 특집은 SBS 사내 평가와 시청률, 모든 면에서 꽤 성공적이었다.

그때의 나는 김현식이란 사람에게 미쳐 있었다. 작가료를 더 주는 것도 아닌데 왜 그렇게 열심히 했느냐고 묻는다면 이렇다 할 이유를 대기는 어렵다. 막연하나마 살아 있는 그의 친구들이 선뜻 인터뷰에 나섰던 마음을 알 것 같았다. 부연하자면 나는 약간 다른 쪽에 서 있는 사람들에게 끌리는 편이다. 〈언제나 그대 내 곁에〉는 1988년에 발매됐다. 그 당시 88올림픽으로 한창 들떴을 대한민국 한복판에, '세상은 외롭고 쓸쓸해'를 읊조리던 음유 시인이 있었다. 풍요 속의 고독을 느꼈을 그 사람에게 나는 지극히 인간적인 유대를 느꼈다. 한 번도 만나본 적 없는 다른 시공간의 사람에게 매료됐다.

음악을 향한 사랑이 버거웠던 가객······.

이후에도 수많은 프로그램을 맡았다. 그렇지만 김현식 특집만큼 말 그대로 내 영혼을 갈아 넣어 쓴 대본은 없었다. 뻔한 말이지만 진심은 실패할 수 없다. 글에도 진심이 있다. 진심은 크든 작든 진가를 드러낸다. 몇 번을 썼다 지우기를 반복했는지 세세히는 몰라도 얼마나 정성 들여 썼는지를 독자는 느낄 수 있다. 좋은 글은 대상을 향한 '애정'에서 비롯된다. 다음 글은 이 사실을 확실히 증명해 보인다.

아이를 보면서 비로소 내가 어떤 시간들을 통해 성장했는지 타임머신을 타고 돌아간 것처럼 상상할 수 있었다. 태어나서 한 달, 보이지도 않는 상태로 누워서 공룡 소리를 내며 누워 있다가, 겨우 목을 들고, 끊임없이 뒤집기를 한다. 어느 날은 넘어질 거라는 두려움을 이겨내고 우뚝 서서 한 걸음 한 걸음 걸어간다. 세상을 관찰하지만 소통하지는 못한다. 그러다가 한참 지난 어느 날, 다른 아이에게 '같이 놀자'라는 말을 하는 아이를 보았다.

아이를 키우는 어느 엄마의 글이다. 공룡 소리를 내며 누워 있던 아이가 세상과의 소통을 시작하는 과정이 따뜻하고 경이롭다. 아이에 대한 애정 없이는 절대 나오지 못할 글이다. 아지랑이가 일렁이듯 꼬물꼬물한 생명이 세상에 나와 걷고, 말을 하고, 관계 맺는 과정이 감동적으로 다가온다. 그녀는 에세이라는 장르 자체를 처음 써봤다고 했지만, 이 글에는 사람의 마음을 동하게 하는 무엇이 있다. 대상에 대한 애정에서 파생된 글이기 때문이다.

모든 훌륭한 글은 사랑이 낳는다. 세상은 자주 외롭고 잊힐 만하면 스산해지지만, 사랑에서 나온 글은 우리를 조금 덜 외롭고 덜 쓸쓸하게 만들어준다.

맛 표현의 교과서 〈6시 내 고향〉과 백종원

그러니까 이런 말을 하면 사람들은 약간 이해 안 간다는 표정으로 나를 쳐다본다. "먹는 것에 별로 관심이 없어서요." 아니, 뭐라고요? 식도락도 몰라요? 인생에서 제일 중요한 게 먹는 낙인데 어쩜 그 행복을 모를 수 있죠? 마치 나무라는 듯 바라보는 시선에 나는 애매한 웃음을 짓는다. 가끔 내가 이상한가 싶을 때도 있지만, 우리가 위안을 얻는 것은 의외로 동질감이다. 요즘 예능 프로그램을 보면 나 같은 캐릭터가 있긴 하더라.

강렬하게 뭘 먹고 싶어서 일부러 식당을 찾아가거나 오랜 시간 기다리는 일을 잘 못한다. 식사 메뉴를 먼저 골라주는 사람이 편하다. 남들이 뭔가 먹자고 하면 못 먹는 음식이 아닌 한 웬만하면 따라가는 편이다. 집안 내력인지 동생과도 지금껏 먹는 걸로 싸운 적은 없다. 우리 남매가 잘 먹는 게 엄마의 소원인데, 동생은 결혼 후 살이 10킬로나 찌면서 그 바람을 들어드렸고, 나에게는 여전히 요원한 일로 남아 있다.

먹거리에 무관심한 내가 음식 프로그램을 한다는 건 어불성설이지만 방송계 역시 하고 싶은 일만 할 수 있는 건 아니다. 경제적인 부분을 아예 간과할 순 없기에, 비교적 안정적인 음식 프로그램을 한 번도 안 해본 작가도 드물 것이다.(많은 프로그램이 생겼다 사라지지만, 저녁 시간대의 방송 3사 프로그램 〈6시 내 고향〉, 〈생방송 오늘 저녁〉, 〈생방송 투데이〉는 굳건히 자리를 지키고 있다.)

나는 삼십 대 초반에 MBC 〈고향이 좋다〉를 통해 우리나라 각지의 농산물과 음식들을 소개한 바 있다. 제철 과일과 채소 및 전국 팔도의 유명 농산물들을 거의 꿰차고 있던 시절. 여담이지만 방송작가의 장점이자 단점은 깊지 않으나 넓은 지식을 두루 갖추게 된다는 점이다. 음식, 패션, 스포츠, 영화, 책 등 방송 소재는 무궁무진하고 방송작가들은 새 프로그램을 할 때마다 해당 분야를 파다 보니 잡학다식해진다.(다만 프로그램이 끝나면 기억이 잘······.)

〈고향이 좋다〉와 같은 생활 정보 프로그램의 경우 대개 농가 소개와 특징, 농작물의 효능, 관련 음식으로 구성을 잡는다. 흐름 잡기는 어렵지 않지만 주제가 되는 식재료를 응용한 말장난 섞인 대본과 자막 작성에 애를 먹는다.

"참나, 참나물이 참나, 맛있네 참나."
"맛도 모양도 가지가지~ 팔방미인 가지 따러 가지."
"곰취 나물에 에취! 취해버렸어."

뭐 이런 유치찬란한, 가볍고 빠르게 잔재미를 주는 멘트들이 곳곳에 배치된다. 문제는 음식 프로그램은 아주 오래전부터 있어왔기에 하늘 아래 새로운 것이 없다는 것. 게다가 우리나라만큼 음식 프로그램이 많은 나라도 드물다. 이제는 공중파뿐만 아니라 유튜브, 인스타그램 등 각종 피드에 먹방과 맛집 리뷰가 차고 넘치니 어떻게 해야 음식을 맛깔나게 표현할 수 있을까에 대한 고민도 깊어진다.

맛 표현을 잘하고 싶다면 카피캣copycat 정신을 발휘해 잘하는 사람에게 배우는 것도 좋은 방법이다. 대표적인 연예인으로 이영자가 있다. 무엇보다 맛에 진심인 사람이기에 표현 역시 진심이다. 뭐든 경험이 중요하다. 당연한 얘기지만 많이 먹어본 사람이 표현도 잘한다. 어쩌면 나에게 음식 프로그램이 어려웠던 건 먹는 것에 별 취미가 없었기 때문인 것도 같다. 지역 구석구석의 유명 음식은 다 먹어보았을 그녀는 확실히 맛 표현의 장인이다. 윤기가 자르르, 낙지가 펄떡펄떡 등과 같이 의성어와 의태어가 들어간 수식어를 본인 특유의 말투로 차지게 잘 붙인다. 듣다 보면 입 안에 침이 한가득 고인다. 이영자가 자주 쓰는 의성어와 의태어 방식은 음식이 입 속에 들어가 혀 안에서 요동칠 때, 그 살아 있는 맛을 상상하는 데 도움을 준다.

성시경 역시 개인 유튜브 채널을 통해 먹방계의 신흥 강자로 등극했다. 무엇보다 묘사에 탁월한데, 음식과 관계되지 않은 것들을 가져와서 표현하는 방식이 눈에 띈다. '맛있다'

가 아니라 '여자친구보다 지금은 이 음식이 더 좋아', 간이 거의 배지 않은 음식을 가리켜 '하얀 캔버스를 받은 기분'으로 설명한다. 이런 맛 표현은 가히 문학적이다. 문장가나 문학에서 적극적으로 쓰는 방식이다.

학자로 알려진 조선 시대의 허균은 엄청난 미식가였다고 한다. 한번은 어물을 선물 받아 다음과 같은 답장을 보냈다.

> 실처럼 잘게 썰어 회를 쳤더니, 군침이 흐르더이다. 젓가락으로 집어 입에 넣으니 국수나 먹던 창자가 깜짝 놀라 천둥소리를 냈습니다.●

'회를 실처럼 잘게 썰었다', '창자가 깜짝 놀라 천둥소리를 냈다', 전혀 어울릴 것 같지 않은 이질적인 두 단어의 조합은 색다른 느낌을 자아낸다. 창자가 천둥소리를 냈다는 표현은 'ㅊ'의 연음으로 라임을 맞췄고, 창자에서 천둥소리가 나면 대체 어떤 소리일까 하는 궁금증마저 자아낸다. 다시 읽어봐도 신박하다. 음식을 통해 기분이나 분위기를 표현하는 방식은 다음 예문에서도 만나볼 수 있다.

● 김정호, 『조선의 탐식가들』, 따비, 2012년.

이 레모네이드는 신도들의 들뜬 마음을 기분 좋게 흔
들어 더 높고 순수한 곳으로 띄워 올렸다.◆

갑자기 평범한 레모네이드가 신성한 생명수가 된 것 같은
기분을 자아낸다. 음식이 주제가 아닌데도 고급스러운 음식
에 대한 묘사가 탁월한 작품으로『모스크바의 신사』가 있다.
하루아침에 신분을 박탈당한 러시아 백작이자 미식가인 주
인공을 필두로 각종 음식과 와인의 향연이 펼쳐진다.

흑빵이 대지, 흑갈색, 우울함을 나타낸다고 한다면, 벌
꿀은 햇빛, 황금색, 즐거움을 나타냈다. 그러나 벌꿀에는
또 다른 차원이 있었다. 포착하기 어려운, 그럼에도 친숙
한 어떤 요소⋯⋯. 단맛의 감각 아래, 혹은 배후에, 혹은
내부에 숨어 있는 어떤 꾸밈음 같은 것⋯⋯.
(중략)
그 요리는 왠지 모르게 눈 쌓인 선술집의 안락함과 접
시가 치는 탬버린의 찰랑거리는 소리를 동시에 생각나게
했다.◆(라트비아 스튜를 설명하는 대목—인용자)

●　이자크 디네센, 추미옥 옮김, 『바베트의 만찬』, 문학동네, 2003년.
◆　에이모 토울스, 서창렬 옮김, 『모스크바의 신사』, 현대문학, 2018년.

까만 빵과 투명한 벌꿀의 색 대비도 탁월하거니와, 달달한 꿀의 단맛에 숨겨져 있는 그 무엇을 연상하게 만든다. 빵에 꿀을 발라 먹는 아주 흔한 상황을 이토록 우아하게 표현했다는 것은 역시 저자의 힘일 것이다.

마지막으로 백종원은 명실상부한 맛 표현의 고수다. 만약 인플루언서로서 맛 표현을 배우고 싶다면 백 선생의 방식에 주목해보자. 사람들이 흔히 알고 있는 맛과 비교해서 해당 음식을 설명한다. 가장 이해하기 쉽고 직관적이다. '맵다'가 아니라 '신라면 정도의 맵기', '쓰다'가 아니라 '사약을 마시는 것 같다', '맵싸하다'가 아니라 '치약 먹는 것 같다' 등으로 표현하는 식이다. 보는 이는 기존에 알고 있는 음식과 화면에 소개되는 새로운 음식을 매치해봄으로써 그 맛을 가늠하고 연상할 수 있다.

이 밖에 음식과 관련된 추억이나 기억에 남는 이야기를 맛에 빗대어보기가 있다. 어릴 적 동네 통닭집에서(이런 건 치킨집이 아니라 통닭집이라고 해야 느낌이 산다) 시켜 먹던 튀김가루를 얇게 입혀 바싹하게 튀긴 통닭, 할머니께서 툭툭 손으로 뜯어서 만들어 주시던 투박한 수제비의 손맛, 처음 간 유럽

여행에서 우연히 들어간 작은 카페에서 먹은 버터 향이 폴폴 풍기는 크래커 같은 것들.

한번은 대구에 촬영을 하러 간 적이 있다. 그때 출연하신 할머니께서 우리에게 자두를 주시며 말씀하셨다. "새그라운데 억쑤로 마싯다이가~ 방송국 양반들 한번 잡숴보소." 우리는 일제히 서로를 멀뚱멀뚱 쳐다보았다. '새그랍다가 뭐지?' 경상도 출신인 나도 처음 듣는 말이었다. '새그랍다'는 '시다'라는 의미인데, 시지만 자꾸 당기는 맛이라고 한다. 뜻을 알고 먹으니 '새그랍다'와 '시다'는 확연히 달랐다. 그 자두는 할머니 말씀처럼 새그라운데 맛있었다.

눈길을 끄는 맛 평가를 하려면 역설적이게도 '맛있다', '맵다', '짜다', '달다'와 같은 미각을 버려야 한다. 미각에 의존하기보다 '오감'을 동원해보자. 어떤 음식은 미각보다 후각이 더 오래 기억에 남는다. 통밀로 구워서 구수한 빵 냄새, 과일 향이 느껴지는 맥주, 숯 냄새가 그대로 밴 훈제 소시지 같은 것들. 반면 백설기는 어떤가. 포근하고 쫀득한 질감, 즉 촉각이 미각보다 더 확실하게 다가온다. 음식의 비주얼은 시각으로, 맛은 미각으로만 표현한다면 뻔한 글이 될 수 있다. 글의 참신함은 의외성에서 나온다. 전혀 어울리지 않을 것 같은 것들을 당겨 와서 새로운 의미를 만들어낼 때 그 글은 자신만의 레시피가 담긴 하나의 요리가 된다.

달리 보면 우린 이미 의외의 표현들을 자주 쓰고 있다. 한국인에게 익숙하지만, 외국인에게 참신한 말 중 하나로 '시원하다'가 있다. 한번은 독일인 친구를 우리 집에 초대한 적이 있다. 샤브샤브 국물을 떠먹으며 '시원하다'로 표현하는 내게 그는 대체 국물이 뜨거워 죽겠는데 왜 시원하다고 하느냐고 반문했다.(질문을 받고 보니 나도 모르겠더라. 한국인만 아는 얼큰함과 시원함.)

'입이 심심하다'는 또 어떤가. 배가 고프지는 않지만 뭔가 먹고 싶은 욕구를 '심심하다'로 표현하다니. 아무리 머리를 굴려봐도 대체할 말한 영어 단어가 떠오르지 않아 '지루한 boring'으로 설명해주었지만 역시 찰떡같은 번역은 아닌 것 같다. 더욱이 한국인은 예쁜 옷이 많은 곳을 옷 맛집, 뷰 명소는 사진 맛집이라 지칭할 정도로 '맛집'에 진심이다. 이런 표현을 만들어낸 한국인은 언어유희의 대가이다. 그러니 우리가 '문장 맛집'을 못 차릴 것도 없다.

　돌이켜 보건대 촬영 때 음식이 정말 맛있으면 먹는 데 정신이 팔려서 거의 말을 안 하게 된다. 가끔 보면 씹기도 전에 '맛있다'가 먼저 튀어나오는 연예인이 있다. 주의하자. 협찬일 확률이 높다. "바삭바삭한, 오독오독한, 짜릿한, 즙이 풍부한, 자극적인, 두툼한, 훈제한 맛의, 포슬포슬한 같은 언어학적 충전물, 상대방을 설득하려는 티를 너무 많이 내는 메뉴, 필자가 쓴 형용사투성이의 메뉴는 아마 피해야 할 것이다. 그처럼 많이 변명할 필요가 없는 제대로 된 진짜 식당을 찾아가는 것이다."●

　그러니까 최고의 맛 평가는 아이러니하게도 '침묵'이다. 영혼의 음식 앞에서는 말할 시간조차 아까운 법이니까.

● 댄 주래프스키, 김병화 옮김, 『음식의 언어: 세상에서 가장 맛있는 인문학』, 어크로스, 2015년.

맛 표현 연습 식단

상대적으로 어른보다 선입견이 적은 아이들이 잘하는 표현 방식이 있다. 전혀 예상치 못한 사물 혹은 현상을 맛에 빗대는 방법이다. 아이들은 레모네이드의 맛을 '목에 벌들이 침을 쏘았다', 미역국은 '혓바닥 위에 부드러운 이불을 깐 느낌'이라고 말한다. 너희야말로 맛 평가의 천재들! 분명 우리에게도 그런 시절이 있었다는 사실은 맛 표현에 대한 희망을 품게 한다. 그러니 포기하지 말자. 우리도 할 수 있다!

오늘 하루 먹은 음식 중 세 가지를 골라서 한 줄로 써보자. 일기 대신 그날 먹은 음식에 대한 맛 평가를 하는 것으로 글쓰기 습관을 들일 수 있다.

월	방울토마토: 한 입 깨물자마자 입 안에서 빨간 폭죽이 팡팡 터졌다.
화	
수	
목	
금	
토	
일	

내 글은 얼마짜리인가?
─ 7천 원에서 2천만 원까지

저 멀리 강화도에 사는 가난한 시인을 만난 적이 있다. 함민복 시인은 우리나라에서 몇 안 되는 순수 시인의 대명사다. 가난은 그의 배를 곯게 했을지언정 영혼을 갉아먹지는 않았다. 시인은 마치 신의 목소리를 받아 적는 듯 속인으로서는 절대 쓸 수 없는 투명한 시를 썼다. 인터뷰할 때의 말투는 시만큼이나 착했다. 조용히 천천히 세심하게 단어 하나하나를 골라서 말을 이었다.

"시집 세 권이 팔리면 저한테 돌아오는 돈이 겨우 3천 원이에요. 그런데 3천 원이면 저는 밥 한 끼를 사 먹을 수 있어요.

얼마나 고마운 일이에요. 이 쌀이 제게 오기까지 농부들이 흘렸을 땀을 생각해보세요. 참 감사하죠."

그는 성인이 순진할 수는 있어도 순수하기는 어렵다고 믿는 내 고정 관념을 완전히 뒤집었다. 지금까지 만나본 어른 중 유일무이한 순수의 결정체였다. 그 하얗고 부서질 듯한 심성의 결에 감탄하면서도 나 같은 속물은 절대 그처럼 살 수도, 쓸 수도 없을 거라 절레절레 고개를 흔들며 서울로 돌아왔다.

일부 유명 작가를 제외하고 많은 문인이 함민복 시인처럼 어렵게 살아간다. 오롯이 글만 써서 밥 벌어 먹고살기란 녹록지 않다. 작가들은 자서전 대필이라든지 문화센터 글쓰기 강사, 번역 등 부수입을 통해 하루하루를 이어간다. 특히 대필의 경우 생활고로 시작했다가 자괴감으로 그만두는 경우도 부지기수다. 내 글이 아닌 남의 글을 뒤에서 써준다는 것은 그 기간 동안 내 글을 못 쓴다는 것을 의미함과 동시에 영혼을 갉아먹는 일이기도 하니까. 일례로 박준의 『당신의 이름을 지어다가 며칠은 먹었다』는 다른 사람의 글을 써준 일화를 바탕으로 나온 시집이다. 이 시집이 엄청난 인기를 얻은 것은 정말이지 감사한 일이자 다행스러운 일이다.

나는 작가라는 직함으로 글을 써서 돈을 벌지만, 순수 문학과는 거리가 먼 곳에 있었다. 소설이나 시를 쓸 만한 재능이 과연 나에게 있을까, 고민해본 적도 많다. 동시에 대중문화의 최전선이라고 할 수 있는 방송작가로 일했기에 대본 외의 부수적인 밥벌이에 대해 생각해본 적은 없었다. 마음만 먹으면 방송작가는 꽤 높은 수익을 보장하는 직업이기도 하다.

그러던 중 의도치 않게 독일에 5년을 살게 되면서 일을 할 수 없는 상황에 직면했고, 어떻게 보면 방송작가로서 또 다른 전환기를 맞았다. 한국에서야 얼마든지 일을 할 수 있었지만, 독일에서 내가 할 수 있는 건 별로 없었다. '대체 이 땅에서 나를 증명할 방법은 무엇일까.' 억지로 독일어를 배우면서 몇 달을 고심했다.

그러다 아주 우연한 기회에 인력 플랫폼인 '크몽'을 알게 됐는데, 이 사이트는 일종의 글쓰기 능력을 파는 곳이었다. 플랫폼에 내 프로필을 올려놓으면 각종 의뢰가 들어왔고, 의뢰자와 협의 후 글을 써주는 방식으로 운영됐다. 이것저것

가릴 처지가 아니었다. 뭐든 쓰고 싶었다. 일이 하고 싶었다. 간절함은 엄청난 실행력을 가동시킨다.

크몽에서의 글쓰기는 대필이기도 하고 아니기도 하다. 이미 쓴 글을 단순히 첨삭하는 의뢰도 있지만, 처음부터 새롭게 글을 써줘야 하는 경우도 있다. 의뢰 이유는 다양하다. 자기소개서 문의가 가장 많았지만 내 나름대로 자기소개서는 받지 않는다는 원칙을 세웠다. 자기소개서는 학교나 취업의 등락을 결정한다는 측면에서 인생의 중대사에 영향을 미친다. 나는 타인의 인생을 대신 써줄 자신도 없었고 끼어들 마음도 없었다. 자기소개서가 아니더라도 상품 홍보, 영화 칼럼, 사보 기고, 업계 동향 정리, 고소장까지 가지각색의 의뢰가 들어왔다. 고소장은 예상하지 못한 분야였는데 제삼자의 입장인데도 분노가 앞을 가려 정의감에 불타올라 글을 썼다.

이 외에도 별의별 이유로 매끈한 글쓰기를 원하는 수요가 있었다. 아무리 박봉이라 해도 어디서든 글로 밥은 벌어 먹고살 수 있겠다는 확신이 들었지만, 한편으로는 도무지 어디서부터 고쳐야 할지 종잡을 수 없는 엉망진창의 글을 뜯고 해체하고 조립할 때면 피로했다.

'내 글을 써야 하는데 지금 뭘 하고 있는 거지?'

무슨 말을 하고 싶은지 도통 알 수 없어 읽는 것 자체가 고역인 글도 있었다. 물론 그렇기에 그들은 나에게 돈을 지불했겠지만, 겨우 몇천 원에서 몇만 원을 벌기 위해 내 살이 여기저기 뜯기고 있다는 기분을 떨쳐버리기는 쉽지 않았다.(크몽의 수수료 20퍼센트를 제외하면 생선 뼈다귀에 겨우 달라붙은 살점만큼의 돈이 들어왔다.)

물론 크몽에서도 방송 대본은 스케일이 달라진다. 첨삭이 1만 원 단위부터 시작한다면 방송 구성안은 최소 10만 원에서 출발한다. 엄연히 내가 일했던 분야이고 공식적으로 내 이름을 걸고 영상물을 제작하는 것이기에 적어도 그림자 같은 기분은 들지 않았다. 그러나 애석하게도 프로그램을 맡길 때는 대부분 1회 이상 미팅을 원했고 한국이 아닌 독일에 거주하는 나는 이에 응할 수 없었다.

한번은 굴지의 대기업에서 단가 2천만 원짜리 해외 광고 영상 제작 의뢰가 들어왔다. 미팅을 할 수 없었던 나는 이 프로젝트를 한국의 방송작가 친구에게 넘겼다. 배가 안 아팠다면 거짓말이다. 아니 대놓고 배가 아파서 한 며칠 방바닥을

데굴데굴 굴렀다. 나는 독일에서 겨우 몇만 원 받고 남의 글을 고쳐주고 있는데 이 친구는 한국에서 난다 긴다 하는 사람들을 만나며 전 세계에 배포될 영상을 만든다고 생각하니 샘도 났다. 물론 코로나로 인해 일이 적어진 그녀에게 저 멀리 독일에 있는 내가 일감을 던져주어서 친구로서 기쁘기도 했다. 만약 생판 모르는 타인에게 그 일이 가버렸다면 더 분해서 뒷목 잡고 쓰러졌을 것이다.

장단점이 뚜렷한 크몽이지만, 독일에 사는 동안 좋은 수입원이 되어준 것만은 확실하다. 기본적으로 의뢰자 대부분은 글이 새롭게 태어난 것 같다며 연신 고마워했다. 나 역시 미천한 내 글에 대한 그들의 피드백에 감사했다. 창작이야말로 근사한 일이지만 글을 매끄럽게 해준다는 의미의 '윤문'도 썩 괜찮은 일이었다. 이리저리 흩어져 있는 글들을 한데 모으고 어울리는 옷을 입혀서 자기 자리에 맞게 배열하는 과정이 의외의 희열을 가져다주었다. 어지럽던 글들이 매끄럽게 정리됐을 때 불투명했던 것들이 환하게 보이는 그 순간, 일종의 카타르시스를 느끼기도 했다. 나를 괴롭혔던 몹쓸 자괴감이 재창조의 희구로 바뀌고 있었다.

음, 쓰고 보니 좀 가식적인 것 같다. 솔직히 말한다. 정화 어쩌고저쩌고 운운했던 것도 포장일 뿐이다. 까놓고 말해 내가 베스트셀러 작가였다면, 한국에서 계속 방송작가로 일했다면 크몽은 하지도 않았을 것이다. 문제는 '돈'이다. 나는 결단코 함민복 시인처럼 3천 원에 행복할 수는 없는 사람이다. 그래서 오늘도 크몽 노란색 창에 접속한다. '의뢰자님, 안녕하세요. 문의 감사합니다. 무엇을 도와드릴까요?'

1. 중복 표현을 하지 않는다

중복 표현이 가장 많은 경우는 '나'라는 주어다.

"나는 주인공처럼 살고 싶다. 나는 주인공처럼 살고 싶기 때문에 긍정적으로 생각할 것이다."

앞 문장에서 '나는 주인공처럼 살고 싶다'라고 이미 썼는데 이어지는 문장에서 '나는'이 한 번 더 나온다.

주어 '나'뿐만 아니라 사람마다 은연중 자주 쓰는 단어가 있다. 내가 쓴 글을 보면 '사실', '오롯이', '심지어' 등이 곧잘 등장한다. 평소 인지하고 있으면서도 초고를 써놓고 보면 역시나 중복되는 낱말이 많다.

보통 초고를 쓸 때는 잘 못 느낀다. 자신이 습관적으로 자주 쓰는 단어를 기억해두었다가 퇴고 시에 단어 찾기 기능을 통해 같은 단어가 반복해서 사용되지

않았는지 점검해보자. 중복 단어가 발견됐다면 다양
한 표현을 시도해보자.

2. 한 문장에는 하나의 정보만 넣는다

"오늘 눈이 내려서 동생이랑 밖에 나가서 눈사람
을 만들고 집으로 돌아와서 피곤해가지고 씻지도 않
고 바로 잠이 들었다."

글쓰기를 어려워하는 십 대에게서 흔히 나타나는
문장 구조 중 하나다. 이런 문장들은 한 문장에 시작
과 끝, 모든 이야기가 다 나와 있다. 구구절절 문장이
길어서 어떤 말을 하고 싶은지 한 번에 파악하기가 어
렵고, 긴장감 역시 떨어진다. 게다가 한 문장에 모든
내용을 쏟아부어서 더는 쓸 내용이 없다. 뭘 쓰지? 쓸
게 없네? 다시 머리를 쥐어뜯는다. 찬찬히 살펴보면
이 문장에는 많은 내용이 들어 있다.

① 눈이 왔다.

② 동생이랑 나갔다.

③ 눈사람을 만들었다.

④ 씻지도 못할 만큼 피곤해서 잠이 들었다.

네 가지의 정보가 있다. 이 내용을 과감히 다 해체한다. 어떻게? 한 문장에는 하나의 정보만 넣는다! 끊어진 문장이 약간 외로워 보인다면 형용사, 부사, 명사들로 꾸며준다. 좀 더 실감 나게 쓰고 싶다면 대화체도 넣어보자.

① **오늘 눈이 왔다.** → 올해 처음으로 새하얀 눈이 펑펑 내렸다.

② **동생이랑 나갔다.** → 나와 내 동생은 눈을 좋아한다. 눈을 보자마자 동생에게 소리쳤다. "눈 온다! 우리 얼른 나가자!" "우와, 정말? 좋아." 우리는 장갑과 모자를 쓰고 곧바로 집 밖 공원으로 달려갔다.

③ **눈사람을 만들었다.** → 하얀 눈을 모아서 데굴

데굴 굴려 나갔다. 눈이 골프공에서 축구공만큼 커졌고 나중에는 거의 운동장 반만 한 크기로 커졌다. 큰 눈사람을 만들고 솔방울로 눈과 코, 귀를 붙여 주었다.

④ **씻지도 못할 만큼 피곤해서 잠이 들었다. →**
"날씨가 추우니 얼른 들어오렴." 우리는 눈사람을 만드느라 땀을 뻘뻘 흘리고 있는데, 엄마는 춥다며 빨리 들어오라고 하신다. 좀 더 놀고 싶었지만, 엄마의 성화에 못 이겨 집으로 들어왔다. 공기가 따뜻해지니 온몸이 노곤해졌다. 피곤함이 몰려오면서 스르륵 잠이 들었다.

문장은 쓰기 나름이다. 구성하기에 따라 얼마든지 자세하고 길게 쓸 수 있다. '한 문장에 하나의 정보'를 원칙으로 하되 해당 정보를 섬세하게 꾸며준다.

3. 수동태 대신 능동태를 사용한다

수동태라는 문법은 보통 영어 때문에 알게 된다. 수능이나 토익에서 수동태 영어 문법은 빠지지 않고 나온다. 영어에서도 한국어에서도 수동태는 가능한 한 지양하는 편이 좋다. 영미권의 많은 작가들도 수동태를 남발하지 말 것을 권한다.(그렇다고 수동태를 아예 쓰지 말라는 것은 아니다.)

'작가에 의해 밧줄이 던져졌다 The rope was thrown by the writer'가 아니라 '작가가 밧줄을 던졌다 The writer threw the rope'라고 써야 한다. 제발, 제발 부탁이다.●

스티븐 킹은 수동태를 제발 쓰지 말라고 거의 애원하다시피 말한다. 수동태를 많이 쓰는 것은 "구두약으로 수염을 그린 소년들, 또는 엄마의 하이힐을 신고 뒤뚱거리는 소녀들에게나 어울린다"라고도 덧붙인다. "수동태는 자기 생각을 분명하게 표현할 자신이

● 스티븐 킹, 김진준 옮김, 『유혹하는 글쓰기』, 김영사, 2002년.

없어서 나오는 문장으로 나약하고 괴롭기까지 한 문장이다."

한국어에도 수동태와 능동태가 있는데 바른 쓰임은 능동태가 기본이다. 즉 태생적으로 한국어는 역동적인 문장 구조를 가지고 있다. 능동으로 타고난 언어를 수동으로 바꾸면 문장이 길어지거나 어색해진다. 수동태를 쓰면 글들이 만연체가 되기 십상이다. 흔하게 쓰는 수동태로는 '보여지다', '모여지다', '쓰여지다', '바뀌어지다' 등이 있다. 특히 유튜브 등을 보면 '제 생각에는 ○○로 보여지는데요'라는 표현이 정말 많다. '△△ 주식이 올라갈 것으로 보여진다', '이 작가는 앞으로 잘 될 것으로 보여진다' 등 끝이 없다.

그렇다면 왜 수동태가 만연해졌을까? 우리말에서 수동태를 혼용하게 된 것에는 여러 설이 있지만 과거 일본에서 공부한 지식인들이 한국에 일본 문학을 소개하거나 일본어로 번역된 책을 다시 우리말로 번역하는 과정에서 수동태 문장을 쓰게 됐다는 의견이 지배적이다. 일본어는 우리말과 달리 기본적으로 수동

표현이 많은 편이다. 즉 능동태를 쓴다는 것은 우리말을 바르게 표현하는 방법이기도 하다.

다음 예문은 수동태이다. 능동태로 바꿔보자.

① 모아진 기금은 코로나 백신 개발에 쓰여질 것으로 보여진다.
② 피아노계의 아버지라고 불리어지는 이 음악가는
③ 그 결과는 받아들여져야 한다.
④ 예술가들에 의해 창조된 작품.

바른 표현

① 기금은 코로나 백신 개발에 쓰일 것이다.
② 피아노계의 아버지로 불린 이 음악가는
③ 그 결과는 받아들여야 한다.
④ 예술가들이 창조한 작품.

대체적으로 수동태보다 능동태의 문장 길이가 짧은 것을 알 수 있다. 능동태는 문장에 힘을 실어줄 뿐만 아니라 직관적인 문장 구조로 인해 가독성 역시 올려준다. 능동태를 사용하는 것은 한국어를 바르게 쓰는 것이자 시대가 요구하는 직관적이고 간결한 글쓰기에도 큰 힘을 발휘한다.

그렇다면 수동태는 무조건 죄악일까? 수동태는 공문서나 법정 자료에서 자주 쓰인다. 가령 '판결했다'가 아니라 '판결이 확정되었다'로 표현하는 식이다. 지나치게 수동태를 멀리하는 것이 능사는 아니라는 주장도 있고, 국민이 알기 쉽게 행정 용어를 순화해야 한다는 지적도 있다.

국립국어원에서 발간한 『쉬운 공공언어 쓰기 길잡이』를 보면 "공공언어는 쉬운 어휘로, 간결하고 명료하게, 가능한 한 짧게, 권위적이지 않게 사용하고, 수동태나 외국어를 남용하지 말고, 번역투나 명사를 나열하는 표현은 사용하지 말아야 한다"라고 밝히고 있다. 일부 변화의 움직임이 보이지만 여전히 공문서에는 수동태가 두드러지게 나타난다. 의견이 분분하지

만 글의 형식에 따라 능동태와 수동태를 구분 지을
줄 아는 것만으로도 당신은 이미 글을 볼 줄 아는 안
목을 가진 셈이다.

1. 문장의 군더더기를 정리한다

문장에서 군더더기라고 하면 기본적으로 접속사다. 하지만, 그러나, 그런데, 그래서, 그리고…… 문장과 문장을 연결하는 접속사를 절단한다.

"결국 쉽게 말하자면, 결국 '단순함'이 중요하다는 것이다."

'결국'이 문장의 앞과 중간, 두 번 나오니 삭제한다. '쉽게 말해서'는 듣는 이를 과소평가 한다는 느낌을 줄 수 있다.(같은 이유로 나는 이 표현이 달갑지 않다. 굳이 이 말을 쓰지 않고 처음부터 쉽게 설명하면 될 텐데, 자신의 지식을 생색내며 상대를 얕잡아보는 뉘앙스를 풍기는 것 같다.)

군더더기를 다 잘라내면 다음과 같이 쓸 수 있다.

"핵심은 단순함에 있다."

중복 단어 역시 삭제한다.

"단골 질문 메뉴다."

여기서는 질문과 메뉴가 같은 의미이므로 둘 중 하나만 쓴다.

"단골 질문이다." 혹은 "단골 메뉴다."

2. 이해하기 어려운 긴 문장은 반으로 나눈다

윤문 의뢰는 문맥을 파악할 수 없는 긴 문장들이 나열된 경우가 제일 많다. 대체로 길면 길수록 비문이 많다. 이럴 땐 문장을 반으로 쪼개고 알맹이만 살려낸다. 대세에 영향을 미치지 않는 문장은 과감히 버릴 필요도 있다. 단문과 중문의 적절한 혼용을 상기하자.

"종합소득공제는 여러 가지 혜택이 있기 때문에 절대 놓쳐서는 안 될 과세 절약 포인트라고 보여집니다. 과세 혜택 제도이므로 절세 방안으로 활용할 수 있는 데다가 굉장히 이득이 많습니다. 소득공제를 적용받으려면 소득공제 요건을 숙지하고 준수해야 하는데 소득공제는 부양가족, 공적보험료 납입액 등에 따라 달라질 수 있기 때문에 실제 부양가족과 가입 보험료 등의 여부를 확인하여야 합니다."

종합소득공제에 관한 설명글이지만 전문 용어가 많고 문장이 긴 데다 수동태로 써서 설명이 오히려 이해하기 어려운 경우다. 우선 문장을 나누되 첫째, 둘째, 셋째 나열식으로 표현하면 가독성을 높일 수 있다.(유의할 점은 첫 번째, 두 번째와 첫째, 둘째를 헷갈리지 말 것! 첫 번째는 반복되는 일에 쓰인다. '첫 번째 시험에서는 떨어졌지만 두 번째 시험에서는 합격했다.' 첫째는 순서를 나타낼 때 쓴다. '글을 잘 쓰려면 첫째, 맞춤법에 맞게 쓰자. 둘째, 책을 많이 읽자.')

위 문장은 이렇게 정리할 수 있다.

"종합소득공제의 특징은 다음과 같습니다.

첫째, 종합소득공제는 과세 혜택 제도이므로, 절세 방안으로 활용할 수 있습니다.

둘째, 소득공제를 받으려면 요건을 숙지, 준수해야 합니다.

셋째, 종합소득공제는 부양가족, 공적보험료 납입액 등에 따라 달라지므로, 실제 부양가족과 가입 보험료 등의 여부를 확인해야 합니다."

3. 지나치게 주제를 의식해서 거듭 강조하지 말자

다음은 '코로나19로 바뀐 주거 문화'와 관련한 예문이다.

　　"코로나19로 인해서 집 안에 머무는 사람이 많아졌다. 코로나19 때문에 바깥 활동을 못 하고 실내에서 보내는 시간이 증가했다. 코로나19로 인해서 꼼짝없이 집에만 있게 되면서, 주거 문화가 많이 바뀌었다. 코로나19는 사람들의 생활 패턴을 달라지게 만들었다. 집 안에 머무는 시간이 많아지자, 홈트레이닝, 베란다 정원 만들기, 홈오피스 꾸미기 등 실내에서 할 수 있는 일에 관심을 보였고 관련 물품들의 판매율도 상승했다. 게다가 일종의 반조리 식품인 밀키트가 트렌드로 떠오르면서 배달 업계는 코로나19 특수를 누리고 있다. 마트에 가면 간단한 떡볶이부터 곱창에 이르기까지 다양한 밀키트들을 선보이고 있다. 외식 대신 배달을 선호하는 현상도 많아졌다. 코로나19로 인해 달라진 주거 문화의 변화에 발맞춰 우리 업계도 새로운 트렌드에 맞는 인테리어 상품에 주력해야 한다."

주제를 과도하게 의식한 나머지 대부분의 문장을 '코로나19'로 시작했다. '코로나19로 인해서', '코로나19 때문에' 등 같은 맥락의 글이 반복해서 첫머리에 나오면 문장이 재미없고 글 자체가 다소 지저분해 보일 수 있다. 주제에 함몰되어 비슷한 말을 계속하고 있진 않은지 살펴보자. 이는 강요로 느껴져서 피로함을 양산할 수 있다. 설득은 은근히 스며드는 전략이 유효하다.

4. 주제에 맞는 예인지 점검하자!

앞서 코로나로 바뀐 주거 문화에 관해 설명하면서 홈트레이닝, 베란다 정원 만들기, 홈오피스 꾸미기 등의 예를 들었다. 그러다 갑자기 '일종의 반조리 식품인 밀키트가 트렌드로 떠오르면서 배달 업계는 코로나19 특수를 누리고 있다'로 쓰면 주제가 산으로 갈 수 있다. 주거와 음식은 또 다른 분야다. 보통 다양한 정보를 전달하려다가 파생되는 실수 중 하나다. 퇴고 시 객관적으로 문맥을 살펴보고 주제와 비슷한 것 같지만 어울리지 않는 소재는 과감히 버리자. 마트에 가면 생선, 과일, 정육 코너가 따로 분류되어 있듯이 글역시 일종의 공통분모를 토대로 분류하는 작업이 필요하다.

5. 특정 계층만 사용하는 은어나 신조어는

이해하기 쉽게 바꾸고, 영어 표기는 필요한 경우

스펠링을 넣어주거나 가급적 한글로 바꾼다

영어를 발음대로 한글로 쓰는 사람들이 많다. 외래어를 쓰면 지적인 글이라고 착각하는 이들도 있다. 유행에 민감한 업계일수록 더욱 그렇다. 예를 들어 '우리는 패셔너블한 당신의 어드바이저가 되어줄 수 있습니다. 당신을 업그레이드 해줄 수 있는 프로페셔널함이 탑재되어 있습니다. 우리를 초이스하세요'. 얼핏 들었을 때는 문제없는 문장 같지만 영어가 빈번히 나오면 읽는 게 불편하다. 즉 가독성이 떨어진다. 엄연히 한글로 쓴 글이고 읽을 대상 역시 한국인이다. 대화할 때는 어느 정도 감안이 되겠지만 활자화되어 대중에게 보이는 글은 영어를 최소화하는 편이 좋다.

다음으로 신조어 및 은어를 살펴보자. 어원이 불분명한 새로운 말들이 매일 만들어지는 세상이다. 특히 게임 용어나 급식체('급식'을 먹는 나이인 초·중·고교생이 주로 사용하는 은어를 일컫는 말)에서 비롯된 말들은 한국어인데도 도통 무슨 뜻인지 모르겠다. 십 대의 독후감이나 논술을 보면, '항마력'(손발이 오그라드는 글이나 사진을 보고 얼마나 버틸 수 있는지를 나타내는 수치), '어쩔티비'('어쩌라고 티비나 봐'의 줄임말) 등 인터넷으로 검색해봐야 아는 은어가 빈번히 나온다. 이런 단어들은 독자에게 의도를 명확히 전달하기 어렵고 우리말을 바르게 쓰는 차원에서라도 지양해야 한다.

특정 세대뿐만 아니라 각 산업 분야도 양상은 비슷하다. 가령 부동산 업계에서 자주 쓰는 은어로 '줍줍'이 있다. 부동산에 조금이라도 관심이 있는 사람이라면 익히 아는 단어겠지만, 생소한 이들도 분명 있다. 다음은 부동산 분양을 설명하는 글이다.

"줍줍의 열풍이 나날이 뜨거워져서 청약 부적격 및 계약 포기로 인한 '줍줍'에 수만 명의 인파가 몰렸다. 올해 2월 H건설에서 분양한 ○○의 경우도 온라인 사이트가 마비될 정도로 화제였는데 급기야 청약자들의 형평성을 고려해 줍줍 접수를 3시간 더 연장해서 받기까지 했다."

'줍줍'을 반복적으로 언급하고 있으나, '줍줍'의 뜻 자체를 모르는 사람은 문맥 파악이 쉽지 않다. 개념에 대한 설명을 전면에 하고 이어 쓴다.

"흔히 말하는 일명 줍줍('줍고 줍는다'의 준말로

게임에서 파생된 신조어. 잔여분, 무순위 청약을 지칭한다)의 열풍이 뜨겁다. 최근 청약 부적격 및 계약 포기로 인해 '무순위 청약'에 수만 명의 인파가 몰렸다. 올해 2월 H건설에서 분양한 ○○은 온라인 사이트가 마비될 정도로 화제였다. 급기야 청약자들의 형평성을 고려해 무순위 청약 접수를 3시간이나 연장했다."

6. 적절하지 않은 인용은 다른 글로 대체한다

글의 주제를 부각하거나 품격을 높이고자 인용을 하지만 어울리지 않는 인용은 안 하느니만 못하다. 잘 따져보고 글의 문맥에 걸맞은 인용을 사용해야 한다. 간혹 인용을 많이 해서 저자의 색깔을 찾아보기 힘든 글도 있다. 과한 것 역시 아니 하는 것만 못하다. 적절한 인용에 대한 규정은 없지만, 내 글의 도구로서 인용을 써야지, 주객이 바뀌어 인용이 곧 글의 주제가 돼서는 안 된다.

특히 마지막 문장을 인용으로 끝내는 것은 바람직하지 않다. 대학원생 시절, 비평문에서 다른 이의 글로 결말을 맺었다가 교수님께 혼쭐이 난 적이 있다. 내 글이므로 나의 생각으로 종결해야 한다는 것이 이유였다. 인용으로 마무리하는 것은 어떻게 보면 저자가 결말 맺기가 어려워 다른 이의 말을 빌려 쓰는, 약간은 무책임한 글이란 뉘앙스를 줄 수도 있다.

7. '~인 것 같다', '~인 것으로 보인다'는
자신 없어 보이는 종결어미다

평소 말할 때 모든 어미를 '~것 같아요'로 말하는 사람이 있다. '나쁘지 않은 것 같아요', '좋은 것 같아요', '할 것 같아요' 등이 예다. '나쁘다', '좋다', '한다'와 같은 직설화법이 아닌 간접화법은 겸손의 미덕처럼 보이기도 하지만, 바른 표현이 아닐뿐더러 입장이 모호한 문장이다. 글쓴이가 자신의 의견에 확신이 없다는 뉘앙스를 풍길 수도 있다. '~것 같다'는 특히 자기소개서와 홍보용 글쓰기에서 삼가야 할 어투다. 스스로에 대해 '성실한 것 같아요'라고 한다면 채용자는 그를 신뢰하기 어려울 것이다. 상품의 경우도 불분명한 이미지를 줄 수 있으니 명확하게 '~ 한다'로 쓴다.

살아남고 이겨내고 일어서는 것

내 생애의 첫 기록은 '일기'였다. 누구나 그렇듯 초등학교 입학과 동시에 이뤄진 반강제적인 숙제였으나, 일기 쓰기가 싫지는 않았다. 오히려 즐기는 쪽이었다. 그날 있었던 일과 감정을 글로 남긴다는 것은 뭐랄까, 겨우 여덟 살이었지만 내 인생을 차곡차곡 쌓아 올리는 기분이 들어 꽤 흐뭇했다.

초등학교 6년 내내 쓴 일기장이 모여 라면 상자 세 박스에 가득 찰 때쯤 이사를 하게 됐다. 이삿날 구태여 그걸 다 가져가겠다고 우격다짐을 벌였다. 결국엔 통째로 가져와서 방구석에 한동안 쌓아두었는데, 지금은 일부만 친정집 창고를 지키고 있고, 나머지는 내 기억에서조차 흔적 없이 사라졌다.

중학교에 진학하면서는 일기보다 친구들과 편지를 자주 주고받았다. 학교에서 매일 만나고 집에 와서 통화까지 하는데 무슨 할 말이 남아 그렇게 편지를 썼는지. 시시콜콜 별의별 잡다한 이야기들을 꽃이나 풍경이 그려진 편지지에 새겼다. 쉬는 시간이나 점심시간에 친구 몰래 책상 서랍 구석에 편지를 밀어 넣는 재미가 쏠쏠했다.

그들과 주고받은 편지도 일기장만큼이나 제법 많은데 기록에 강박이 있는 나는 여태 그걸 버리지 못하고 모셔두고 있다. 대부분 그때의 행동들은 어리숙했고 시답잖은 고민투성이였지만, 십 대의 나를 돌이켜 볼 수 있는 유일한 기록물이다.

성인이 되면서 기록의 무대는 종이에서 인터넷으로 옮겨갔다. 싸이월드가 생겼고 이어서 트위터, 페이스북, 인스타그램이 등장했다. 유행의 파도를 타고 SNS는 개인 기록과 동시에 소통 창구가 됐다. 그렇지만 길게 호흡하는 글을 쓴다기보다 사진을 곁들여 짤막하게 단상을 올리는 정도였기에 아쉬움이 남는 기록이었다.

무엇보다 이십 대 중반부터는 앞만 보고 달리느라 바빴다. 분명 옆에도 뒤에도 내가 있었지만 둘러볼 겨를이 없었다. 전쟁 같았던 그 시절엔 기록마저 들어갈 틈이 없었으니까. 그랬던 내가 다시 기록을 하게 된 것은 결혼 후 본의 아니게 독일에 살게 되면서부터였다.

결핍은 사람으로 하여금 쓰게 만든다. 독일에서의 삶은 외로웠다. 배우자의 결정에 이끌려 시작된 타국살이는 우울증과 향수병의 파도타기였다. 목표 의식 없는 그렇고 그런 나날이 이어졌고, 늘 혼자였다. 하루 종일 나밖에 없는 집은 사위四圍가 적막했다. 그 몽글몽글한 외로움이 싫지는 않았지만, 실체가 없는 외로움은 또 다른 무쓸모의 외로움을 양산했다. 나는 유용한 인간이고 싶었으나 이국에서만큼은 한없이 무용했다. 누군가를 만나기 위해 한인 교회나 모임에 나갈 수도 있었으나 그러고 싶지는 않았다. 자발적 외로움의 끝에는 무엇이 있을지 궁금했다. 계속해서 외롭고 싶었다. 그 감정들을 세심히 살펴보고 싶었다.

문학 강의 시간에 교수들이 가장 많이 하는 이야기 중 하나는 '자신의 이야기를 써라'이다. 대학 수업뿐만 아니라 글쓰기 문화센터에만 가봐도 대개 시작은 '나 자신부터'라고 조언한다. '나'야말로 내가 제일 잘 아는 이야기이자 잘 쓸 수 있는 소재이다. 특히 외로운 사람일수록 자신의 이야기를 잘 풀어낼 확률이 높다. 그래서 혹자는 작가란 결핍이 많은 사람이라고 정의한다. 목마른 결핍은 폭발적인 글로 터져 나오기 마련이니.

타국에서 감정선을 따라 흐르는 내면의 변화를 단 한 줄이라도 놓칠세라 글을 썼다. 쓰지 않고는 배길 수 없었다. 찬란한 햇살에 못 이겨 어떻게 해서든 척박한 땅을 뚫고 나와 싹을 틔울 수밖에 없는 씨앗처럼, 쓸 수밖에 없었다. 어떤 이유로 『안네의 일기』나 『감옥으로부터의 사색』과 같은 책들이 나오게 됐는지 조금은 알 것 같았다. 인간이 극한의 통제된 상황에서 할 수 있는 일은 의외로 많지 않다. 오직 쓰는 것만이 살아 있음을 느끼게 해주는 수단이자 유일한 위로일 수 있다.

글쓰기에는 내 감정을 배설하고 동시에 복잡한 생각의 편린들을 정리해주는 기능이 있었다. 전래동화 「임금님 귀는

당나귀 귀」에서 왜 그토록 주인공이 목숨이 위험한 줄 알면서도 비밀을 발설하고 싶어 했는지 수긍이 갔다. 대나무 숲에 가서 크게 한 번 외치고 나서야 마음이 후련해진 주인공처럼, 복받쳐 오르는 감정들을 글에 쏟아붓고 나서야 개운함을 느꼈다. 나를 위한 글에는 어떤 제약도 책임도 없었다. 자극적인 소재나 방송에 필요한 편집 지점을 신경 쓸 필요도 없었다. 그저 내가 쓰고 싶은 대로, 마음이 이끄는 대로, 손가락이 가고 싶은 대로, 그것이면 충분했다. 처음 느껴본 글쓰기의 유희였다.

고립과 결핍으로 점철된 상황에서 인간에게 글쓰기란 생존을 위한 몸부림이다. 독일이라는 궤도에 맞춰 가려 애쓰는 내가 애처로웠고 발길 잃은 에고를 위로하고 싶었다. 글을 쓴다는 것은 내 말간 고통과 직면하는 일이었다. 쓰다 보니 나를 똑바로 직시하게 됐고, 자기 연민에 빠져 있는 것은 아닌지 자문하기에 이르렀다. 자아를 타자화해서 좀 더 객관적으로 바라보기 시작하면서 조금은 글다운 글들이 써졌다. 비로소 가슴 언저리 어딘가에서 나오게 된 그 글들은 유난 떨지 않은 채 조용히 나를 위로했다.

하고 싶은 이야기가 있었고 한편으로는 세상에 잊히고 싶지 않았다. 나는 혼자인 것을 좋아하면서도 동시에 관심 받고 싶어 하는 이중적인 인간이다. 나 좀 알아봐 달라는 발악이었을지도 모르겠다. 나만 보던 글에서 타인을 향한 이야기로 나아가게 된 것은 블로그가 시작이었다. 블로그에 쓴 글들이 쌓이다 보니 보잘것없는 내 이야기에 귀를 기울여주는 사람들이 하나둘 생겼다. 비슷한 생각을 가진 이, 내 글을 통해 위로받는 이가 있다는 소중한 사실도 알게 됐다. 이것은 나에게 다윈이 갈라파고스를 발견한 것만큼이나 위대한 사건이었다. '공감'의 유대는 비록 얼굴을 알지 못했지만 형언할 수 없는 힘이 되었다.

아마 그때부터였을 것이다. '춥다'를 입에 달고 살던 독일 생활이 조금은 덜 스산해졌다. 간헐적으로 느꼈던 기록의 힘이 온몸에서 뜨거운 혈관처럼 흐르기 시작했다. 동시에 굳게 결심했다. 쓸쓸한 내 마음에 '글'이란 당신이 기어코 들어왔으니 나 또한 최선을 다해 사랑해보겠노라고.

고독을 업고 나에게 들어온 글을 어떻게든 놓치고 싶지 않았다. 그렇게 글은 내 삶에 똬리를 틀었다. 글을 계속해서 썼던 것은 나와 만날 수 있는 유일하고도 은밀한 시간이었기 때문이다. 글을 쓸 때만큼은 스스로에게 솔직할 수 있었다. 누구에게도 인정받지 못했던 나, 스스로도 납득되지 않았던 나, 한쪽 구석에서 숨죽여 있던 나, 이해할 수 없었던 그날의 나를 이해하는 법, 그것이 글쓰기였다.

알 듯 말 듯한 내면을 끄집어내어 자음과 모음으로, 즉 실체가 있는 무엇으로 표현한다는 것은 비슷하게 흘러가는 삶을 온전히 나만의 가치로 기록할 수 있는 방법이 된다. 그러니 삶에서 충분히 의미가 있는 일이다.

일기를 꾸준히 쓴 대표적인 작가로 톨스토이가 있다. 그는 열아홉 살에 대학에 입학했지만 부적응으로 자퇴했고, 정신적 시련을 극복하고자 일기를 쓰기 시작했다. 울울한 젊은 청년의 손끝에서 시작된 일기는 대문호가 되어 작은 역사驛 舍에서 사망하기 직전까지 63년 동안 이어졌다. 평범한 나의 꾸준한 글쓰기가 위대한 톨스토이만큼 일평생 계속될지는 모르겠지만, 끊임없이 쓰고 싶은 마음에는 변함이 없다.

남들보다 특별하지도, 반짝반짝 빛나지도 않는 보통의 삶도 기록하다 보면 괜찮은 페이지가 더러 나온다. 만약 크고 작은 일련의 사건들을 글로 남기지 않았더라면 삶의 기억들은 드문드문 휘발되었을 것이다. 아무것도 아닌 것이 되었을지도 모른다. 그래서 외로운 시인은 이런 시를 남겼나 보다.

얽히고설킨 그때의 삶을
문학은 정직하게 기록할 것이네
자기의 몸이 늙어가기 전에
여보게 젊은 친구
마음이 먼저 굳어지지 않도록
조심하게 •

나는 좀처럼 움켜쥘 수 없는 시간의 휘발성을 자각하기 시작하면서 기록의 중요성을 깨달았다. 별 볼 일 없는 내 인생에도 꽃이 피고, 낙엽이 뒹굴고, 비바람이 불어닥치고, 눈이 내리고, 때로 무지개가 떠올랐음을 켜켜이 쌓인 내 글이 증명해 보인다. 무엇보다 이제는 써두어야 기억할 수 있는 나이가 됐다. 해를 거듭할수록 몸의 근육만 굳어지는 것이 아니

• 김광규, 「늙은 마르크스」, 『아니다 그렇지 않다』, 문학과지성사, 1983년.

다. 시인의 말처럼 마음도 굳어진다. 누군가 왜 글을 쓰냐고 묻는다면 '마음이 굳어지는 게 싫어서'라고 답할 것이다.

❖

"글쓰기의 목적은 살아남고 이겨내고 일어서는 것이다."◆ 나는 어떻게든 살아남고 이겨내기 위해 글을 썼다. 삶에 대항해 지고 싶지 않았다. 치열하게 사랑한 결과물은 세 권의 책으로 나왔다.

독일에 가기 전엔 적어도 사십 대 후반까지는 방송작가로 머무를 줄 알았다. 에세이스트가 될 거라고는, 글쓰기를 가르치는 사람이 될 거라고는 상상조차 해본 적이 없다. 인생이란 참 얄궂다. '어쩌다 여기까지 왔지?' 싶다가도 일련의 행적들이 연결되어 있음을 자각한다. 만약 초등학교 3학년 때 얼떨결에 나간 글쓰기 대회에서 장원을 받지 않았더라면, 방송작가가 되지 않았더라면, 대학원에 진학하지 않았더라면, 독일에서 살아보지 않았더라면 지금의 나는 없을 테니. 삶의 고리는 뫼비우스의 띠처럼 꼬이고 꼬인 채 연결되어 있다. 그

◆ 스티븐 킹, 김진준 옮김, 『유혹하는 글쓰기』, 김영사, 2002년.

고리의 엮임이 때로 복잡하고 버거워 다 끊어버리고 싶을 때
도 있지만 역설적으로 삶은 그래서 아름답고, 그래서 흥미롭
다. 결국 그 수많은 얽히고설킴이 한 사람의 인생, 하나(one)
의 원圓을 빚어낸다. 사실 여전히 잘 모르겠다. 돌고 돌아와
다시 원점이다. 인생이란, 인생이란, 인생이란…… 어떤 동그
라미.

기록과 수익의 평행 이론,
블로그 왕초보를 위한 가이드

1. 근면성

기본적으로 SNS는 '꾸준히'가 미덕이다. 촬영, 편집, 자막 등 수고로움이 많이 드는 유튜브와 달리 블로그나 인스타그램은 1일 1포스팅도 가능하므로 한번 시작했다면 꾸준히 해보자. 글은 엉덩이로 쓴다. 그리고 글은 배신하지 않는다.

2. 나만의 주제

상업적 홍보 등 뚜렷한 목적으로 블로그를 운영한다면 주제를 확실히 하는 것이 좋겠지만, 취미로 시작한다면 일상 자체가 주제가 된다. 맛집, 구매 물건, 요즘 본 책이나 영화 등을 다양하게 올려보자. 물론 이

가운데 나의 주력 분야가 하나 정도 있으면 좋다.

3. 어투 정하기

처음 시작할 때 어투를 결정하자. 일기 쓰듯 '나는 ~~했다' 식의 독백체로 할지 누군가에게 말하듯 '이웃님들, 안녕하세요!' 식의 대화체로 할지 선택한다. 나는 순전히 기록할 의도였기 때문에 독백하듯 포스팅을 시작했다. 반면 홍보나 물건 판매를 목적으로 블로그를 개설했다면 불특정 다수에게 친근하게 말하는 구어체 형식을 취해보자.

4. 사진과 글 편집

사람들의 눈길을 사로잡으려면 다양한 사진과 동영상은 필수다. 네이버 상위 노출을 원한다면 사진은 최소 20장 이상, 동영상은 15초 이상, 글자 수는 1,000자 이상을 권한다. 여유가 된다면 GIF 3초(일명

움짤)를 같이 올려보자. 사진과 동영상이 많아야 노출 가능성이 높다.(네이버 역시 유튜브에 대항해 동영상을 선호하기 때문에 블로그에 영상을 올리는 것은 상위권 진입에 도움이 된다.)

포스팅 시 사진을 먼저 올릴 것이냐 글을 먼저 올릴 것이냐는 달걀이 먼저냐 닭이 먼저냐와 같지만, 나의 경우는 사진이 먼저다. 시간 순서대로 기승전결에 맞게 사진을 정리한다. 가령 맛집 후기를 쓴다면 당시의 동선 그대로 사진을 올리는 것이다. 맛집 가는 길 → 정문 → 실내 인테리어 → 메뉴판 → 음식 순으로 업로드 후 그에 맞게 사진 아래에 글을 쓰면 적어도 기본적인 기승전결의 틀은 갖추게 된다.

5. 마음을 사로잡는 후기

물건 리뷰를 쓴다면, '내가 주로 타인의 블로그에서 얻고자 하는 정보가 무엇인가?'를 역지사지로 생각해보자. 대부분의 구매자는 물건 구매 전에 먼저 후기를 검색한다. 판매업체의 설명보다 실사용자의 솔직한 후기가 더 도움이 되기 때문이다. 만약 내 블로그에 제품 판매 페이지의 설명만 그대로 나와 있다면 굳이 방문자가 해당 글을 읽을 필요가 없다. 바로 창은 꺼지고 다음 블로그로 넘어갈 것이다. 회사 홈페이지나 다른 블로그에서는 볼 수 없는, 즉 나만 전할 수 있는 살아 있는 경험담이 담긴 정보가 있어야 사람들은 내 블로그를 찾는다.

첫째, 왜 이 물건이 필요해서 혹은 갖고 싶어서 샀는지 동기를 작성한다. 추가로 회사의 가치, 역사 등을 쓰는 것도 팁이다. 가령 빌레로이앤보흐 그릇을 포스팅 한다면 과거에 빌레로이앤보흐가 파리의 예술가들과 친했고 그들과의 교류로 영감을 받은 예술적 감각을 그릇에 새겼다는 식의 정보를 넣는다. 물건도 물건이지만 스토리를 사는 시대다. 우리는 같은 가격이라면 착한 기업, 친환경적인 기업에 지갑을 연다. 그런 점들을 부각해서 쓰는 것도 좋은 방법이다.

둘째, 물건 하나를 두고 살까 말까 고민할 수도 있

겠지만 가령 선풍기를 살 계획이라면 다양한 후보군을 놓고 살펴보기 마련이다. 내가 구매 전에 고민했던 유사 제품들과 해당 제품의 선택 이유, 구매 경로 등을 작성한다.

셋째, 물건의 실사용 시 장단점과 활용법은 중요하다. 삶의 질 측면에서 어떤 도움이 됐는지, 나는 어떻게 이 물건을 사용하고 있는지, 막상 써보니 어떤 점이 별로였는지를 구체적으로 작성하자.

넷째, 제품의 총평, 만족도, 추천 여부 순으로 단락을 나눠 글을 작성한다.

6. 인용구 살리기

사람들은 내 글을 다 읽지 않는다. 대부분 스크롤을 해서 훑는다. 따라서 강조하고 싶은 부분은 눈에 들어오기 쉽게 확실히 구분해줄 필요가 있다. 블로그에는 다양한 편집 도구가 있는데 그중 '인용구'를 활용해보자. 큰따옴표, 괄호 등을 통해 강조 표시를 할 수 있다. 이 툴을 활용해서 품목별로 분류하고, 기본 글 가운데서도 중요한 부분은 굵은 색, 큰 글자, 다른 색깔 등으로 강조해서 표기하자.

7. 노출 빈도를 높여주는 해시태그

해시태그는 자세히 쓸수록 좋다. 이미 이웃 5천 명 이상의 중상위 블로거라면 해시태그를 다양하게 쓰지 않아도 상위에 노출될 가능성이 높다. 그렇지만 초보 블로거는 다르다. 단순히 '물건 이름', '서울 맛집' 이런 식으로 해시태그를 단다면 10페이지, 많게는 20~30페이지는 넘어가야 글이 발견될 것이다.

맛집을 예로 들어보자. 단순히 '맛집'이라고 해시태그를 달기보다 구체적으로 지역 명을 쓰자. '공덕동 맛집', '공덕동 3번 출구 맛집' 등 세부 정보로 써주는 것이 노출 빈도수를 올리는 방법이다. 초보 블로거일수록 좁은 범위의 해시태그를 작성하자.

블로그는 해시태그뿐만 아니라 키워드로도 노출

된다. 본문에서 '공덕 맛집', '공덕 치킨 맛집' 등과 같은 검색에 유리한 키워드를 적절하게 섞어서 쓴다.

> ex) 친구와 공덕 우동집에 갔어요.(✗)
>
> 친구와 공덕역 맛집 우동 전문점 ○○에 갔어요.(○)

8. 글감

블로그에는 '글감' 카테고리가 있다. 책이나 공연 등 문화와 관련된 내용을 리뷰할 때는 글감에 해당 글의 주제를 등록하면 네이버 리뷰에 동시 등록된다.

9. 연계 게시물 링크

주제와 관련 있는 이전 게시글이 있다면 글 맨 아래에 해당 링크를 달아서 구독자가 계속 내 블로그에 머물도록 유인하자. 이 외에도 인스타그램이나 유튜브 계정이 있다면 하단에 링크를 남긴다.

10. 네이버 메인 노출 방법

블로그 글이 네이버 메인에 다수 소개된 적이 있다. 특정 주제를 정해서 글을 올리거나 저비용으로 고가치를 창출했던 글이 인기가 많았다. 가령 '식대 포함 1천만 원으로 진행한 야외 결혼식', '1백만 원으로 독일 집 인테리어' 등이 소개됐고, 이는 블로그 및 인스타그램의 팔로우 증가로 이어졌다. 블로그 역시 공을 들인 만큼 번창한다. 시간이 다소 걸리더라도 한 가지 테마를 설정하고 꼼꼼하게 작성한 글은 내 블로그의 가치를 높여줄 것이다.

월간 수익은?

네이버에는 '애드 수익'이 있다. 블로그 글 중간이나 마지막 하단에 관련 광고가 삽입되는 형식인데 이웃 수, 하루 방문자 수 등 일정 요건이 갖춰져야 신청

할 수 있다. 애드 수익이 네이버로부터 수락되면 노출 클릭 수에 따라 정산되는데, 기본 월 수익금이 5만 원이 넘어야 내 통장에 입금된다. 블로그 이웃이 8천여 명 있는 나의 경우 한 달에 5~10만 원 선의 수익을 유지하고 있다. 네이버 플랫폼 이용자는 아무래도 쇼핑이 목적인 경우가 많다. 확실히 물건 포스팅이 많은 달은 수익이 높았다. 네이버 메인에 노출된 달은 하루 기준 30만 원 가까이 받은 적도 있다. 유튜브에 비하면 큰돈이 아닐 수도 있지만, 기록도 하고 용돈 벌이도 되니 꽤 쏠쏠한 부수입이 된다.

유형적인 수입도 좋지만 블로그를 통해 맺게 된 랜선 이웃들과의 유대야말로 더 큰 재산이다. 얼굴 한 번 본 적 없고 각자 사는 곳도 생활 방식도 다르지만, 서로의 생각과 일상을 공유하며 마음을 나눌 수 있는 행위는 나날이 개인화되며 소통 불능을 말하는 이 시대에 누릴 수 있는 인간적인 교류인 것도 같다. 나는 블로그를 통해서 변하는 세상을 등한시하지 않으면서 휴머니즘을 지속하고 싶어 하는 사람들의 모습을 본다. 보이지 않지만 촘촘하게 그리고 끈끈하게 연결된 랜선 이웃은 돈으로 환산하기 힘든 무형의 소득이다.

예술이란 대체 무엇일까. 사람들은 그게 무엇이든 예술적
인 것을 좋아한다. 동시에 예술적으로 보이길 원한다. 특히
상업은 예술이란 포장지를 두르고 상술이라거나 저급하다거
나 하는 얕은 평가로부터 비켜서고 싶어 한다.

이러한 편애는 방송에서도 고스란히 드러난다. 광고주들
은 PPL 의뢰 시 가급적이면 고급스럽게, 은밀하게, 예술적으
로 보이길 바란다. 그 요구에 맞춰 상품을 어떤 각도로 비췄
을 때 좀 더 우아하고 은은하게 빛을 발할지, 어떻게 포장해
야 그럴싸해 보일지를 고민하는 이들이 방송작가다. 갈릴레

오 갈릴레이는 달의 검은 표면을 물로 착각해 '달의 바다'라고 지칭했지만, 오늘날 그것은 단지 짙은 현무암 지대일 뿐임이 밝혀졌다. 그럼에도 검디검은 그 부분을 현무암이라고 명명하기보다 '바다'라고 했을 때 좀 더 낭만적으로 들린다. 현무암이라고 해도 분명 어딘가에 바다가 있을지도 모른다는 상상과 낭만을 자극하는 것이 바로 방송 제작의 기술이다. 우리는 달을 파는 게 아니라 달에 담긴 '이미지'를 판다.

방송을 하다 보면 예쁜 포장을 원하는 별의별 PPL을 다 접하게 되는데 커피나 음료, 과자, 옷 등은 그나마 쉽다. 책 프로그램에 남성 속옷 PPL이 들어온달지(다행스럽게도 『팬티 인문학』이란 책이 있어 어쩌고저쩌고 방송을 했다. 저자 요네하라 마리에게 감사를), 취미 미술일 뿐인 모 방송국 사장 부인의 친구 전시회를 거장으로 포장해야 한달지 터무니없는 광고를 받을 때가 부지기수다. 한번은 문화예술 프로그램에 사과 농장 PPL이 들어온 적이 있다. 의뢰인은 과수원 사과를 홍보하고 싶은데, '예술적으로' 표현하고 싶다고 했다. 가급적이면 '서양 문화'에 입각해서. 사과 농장은 응당 〈생생 정보통〉과 같은 생활 정보 프로그램으로 가야 맞겠으나 광고주는 한 사코 우리 프로그램을 원했다. 그놈의 예술이 뭔지 원.

사과 농장에 가서 사과 따는 체험으로 방송을 만들 수는 없었다. 프로그램의 성격과도 광고주의 의도와도 맞지 않는 방식이었다. 대체 뭘 해야 하나 회의를 거듭했지만 딱히 결론을 도출하지 못했다. 그러던 어느 날 퇴근하고 서가의 책들을 뒤적거리는데, 문득 세잔의 사과 정물화가 담긴 화집이 눈에 들어왔다. 찌지직 뇌에 전구가 켜졌다. 아! 세잔의 사과, 스티브 잡스의 애플, 윤병락의 사과 시리즈까지! 사과는 많은 이들에게 영감을 줬다. '예술가들의 뮤즈, 사과'로 콘셉트를 잡아서 사과가 예술사에 미친 영향들로 가지를 뻗어나가면 어떨까? 과수원 촬영은 사과만 찍는 사진작가를 섭외해 출사를 가도록 했다. 거의 종합 예술 세트라 해도 과언이 아닐 만큼 사과에서 파생된 다양한 예술 소재들이 나왔기에 광고주는 더할 나위 없이 만족했다.

먹는 사과를 어떻게 하면 예술적으로 포장할 수 있을까? 일상이 예술이 된다는 어느 광고 카피처럼 방송에서는 예술적인 포장이 그 무엇보다 중요하다. 콘셉트만 잡으면 이후의 섭외와 촬영은 비교적 쉽게 풀린다. 어떤 리본과 포장지로 꾸밀지가 관건이지만 번뜩이는 발상은 어느 날 갑자기 나오지 않는다. 아이디어란 오랫동안 쌓아온 경험과 그 대상을 향한 생각이 하나, 둘 쌓여 발현된 고민의 산물이다.

포장하기 좋은 재료는 '시대성'이다. 요즘 사람들은 무엇에 관심을 기울이고 열광하는가? 창작자는 시대정신을 읽어야 한다. 자고 일어나면 새로운 것이 나오는 시대니까. 너나 할 것이 시대가 이끄는 대로 정신없이 따라가기 바쁘다. 그 새로움을 따라갈 수도 있고 소신껏 자신만의 새로움을 개척할 수도 있지만, 무릇 글쟁이는 그 흐름을 볼 줄 아는 '시대쟁이'가 되어야 한다. 글을 쓸 때도 시대의 변화와 대중의 요구에 부합해 어떤 색깔과 모양의 포장지로 감쌀지 고민해보는 것이 좋다.

포장을 다른 말로 하면 '프레임'이라고 할 수 있다. 대표적인 예로 조지 레이코프의 『코끼리는 생각하지 마』가 있다. 미국 정치에 관한 책이지만, 프레임에 관한 책이기도 하다. 코끼리를 생각하지 말라고 하니 코끼리가 바로 머릿속에 떠올랐다면 당신은 프레임에 걸려든 것이다. 프레임이란 우리가 세상을 바라보는 방식을 형성하는 정신적 구조물이다. 프레임은 언어로 작동되기 때문에 새로운 프레임을 위해서는 새로운 언어가 요구된다. 다르게 생각하려면 우선 다르게 말해야 한다.●

글을 쓸 때는 코끼리 하나쯤 마음에 담고 써야 한다.

가령 E. H. 카의 『역사란 무엇인가』에서는 '사실'에 '마대'라는 프레임을 씌웠다. 사실이란 마대와 같아서 그 안에 무엇인가를 넣을 때까지는 서 있지 못한다.◆

꼭 이런 굵직한 책이 아닌, 일반적인 글쓰기에서도 프레임은 유효하다. 글쓰기 수업 중 한 수강생은 한곳에 머물러 있지 못하는 자신의 성격을 역마에 비유했다.

"역마살의 순기능은 이렇다. 깊게 뿌리내리며 사는 나무가 있는가 하면, 바람에 몸을 맡기고 이리저리 여행하며 사는 홀씨의 삶도 있지 않을까. 내게 있어 '옮김'이란 마음의 족적을 남기는 일이다."

만약 본인은 역마살이 있어서 한국과 유럽 등을 오가며 유랑하듯 산다고만 썼다면 흔한 글이 됐을 것이다. 역마살이라는 부정적인 뉘앙스의 단어에 마음의 족적을 남긴다는 순

● 조지 레이코프, 유나영 옮김, 『코끼리는 생각하지 마(진보와 보수, 문제는 프레임이다)』, 와이즈베리, 2015년.

◆ E. H. 카, 김택현 옮김, 『역사란 무엇인가』, 까치, 2015년.

기능을 선물함으로써 특색 있는 글이 됐다. 자신의 방랑 기질에 역마라는 프레임을 씌워 글을 색다르게 빚어낸 것이다.

　　대부분의 좋은 글에는 '프레임'이라는 장치가 있다. 평소 연습 삼아 해볼 수 있는 방법은 '정의하기'이다.(62~64쪽 참조) '○○는 △△이다.'
　　예를 들어 책과 나의 관계에 대해 생각해볼 수 있다. 지금까지 책은 나에게 어떤 의미였고 우리 둘 사이는 어떤 관계였는지 고찰해보자. 프레임이라고 말하면 왠지 어렵게 느껴지지만 책과 나의 관계 정립에 대한 질문에는 의외로 답이 쉽게 나온다. 내가 쓰고자 하는 글의 소재와 의미를 연결해보면 조금은 글이 풀린다. 이때 예상치 못한 조합이 의외성을 발휘해 새로운 감동을 불러올 수 있다는 점도 잊지 말자.

　　"책장에 책이 정말 많은데 '다 읽을 것도 아닌데, 책이라는 게 나의 허세로구나' 이런 생각을 많이 했어요. 책의 권위에 의지해서 나를 어떤 식으로 보이고자 했던 불안함이 마음속에 있었던 것 아닌가 싶더라고요. 그리고

남들한테 어떻게 보이고 싶다는 마음은 내 스스로가 별
볼 일 없기 때문에 갖게 되는 거잖아요. 그런 마음 같은
걸 생각하니까 갑자기 왈칵 하는 거예요. 내가 너무 부족
한 사람이기 때문에 허세를 부리는 심리가 너무 안쓰러
운 거예요."

— 채널예스, 은희경 인터뷰
'책이라는 게 나의 허세로구나' 중에서

　은희경 작가는 책이 자신에게 '허세'였다고 설명했다. 책
은 나에게 허세일 수도 연인일 수도 우주일 수도 있다. '책은
나에게 소중하다'라고 쓰기보다 '책은 나에게 ○○이다'로 무
언가에 빗대어 표현했을 때 독자는 참신함을 느낄 수 있고
감응할 수 있다. 코끼리를 떠올리며 프레임을 설정해보자.
무엇보다 예상치 못한 프레임으로 글에 에너지를 주려면 새
로운 시선이 필요하다. 물론 이를 위해서 지금까지 각자 살
아온 시간과 축적된 사고방식을 한 번에 바꿀 순 없다. 하지
만 발상의 전환을 할 수는 있다.

　예를 들어 많은 글들이 '나' 위주의 주어로 가득 차 있다.

'나는 생각한다', '나는 바다를 바라본다', '나는 글쓰기를 시작했다'…… 이런 '나' 중심의 생각에서 '세상'으로 사유의 폭을 넓혀보자.

"나는 바다를 바라본다."

"바다가 나를 바라본다."

'나'와 '바다', 주어 자리만 옮겼을 뿐인데 다른 분위기의 문장이 연출됐다. 바다가 주어가 될 수 있고, 고양이가 주어가 될 수도 있다. 내가 아닌 지구의 입장에서 세상을 바라보자. 따지고 보면 나와 바다, 고양이까지 모든 것은 자연의 동그라미 안에서 다 연결되어 있다. 롤랑 바르트는 언어는 '인간'이 아닌 '주어'를 알 뿐*이라고 했다. 꼭 인간인 '나'가 글의 주어가 될 필요는 없다. 그런 의미에서 글쓰기는 좁고 한정된 공간에서 더 넓은 세상으로 나를 이끌어주는 뱃길 안내자, 트리톤^{Triton}이 아닐까. 그 이끌림을 따라 곳곳에 설정된 고정 관념을 타파해 가며 항해할 때, 우리는 숨겨진 진실에 더 가까이 다가갈 수 있을지도 모른다.

●   롤랑 바르트, 김화영 옮김, 『텍스트의 즐거움』, 동문선, 2022년.

프레임 글쓰기 연습

자, 그렇다면 어떻게 해야 프레임을 잘 설정할 수 있을까? 뻔한 이야기 같지만, 경험이 중요하다. 책, 공연, 전시, 여행 등 직·간접적인 경험을 통해 포장할 도구가 많으면 많을수록 프레임 설정이 특별해지는 것은 사실이다. 물론 바깥 활동을 거의 하지 않고 40년 가까이 집에서 책을 읽고 시를 쓰며 살았던 에밀리 디킨슨 같은 작가도 있다. 다만 그녀가 밖으로 나가지 않았으되 다독했던 것처럼, 모름지기 글을 잘 쓰길 원한다면 책은 아무리 많이 읽어도 모자람이 없다.

때론 심플한 코발트블루, 때론 알록달록한 오색 빛깔, 때론 휘황찬란한 무늬의 포장지들을 모아두자. 취향에 따라 자수 레이스, 슴슴한 크라프트 끈, 매끈한 공단 리본 등을 준비하는 것도 좋겠다. 글도 장비 빨이니까.

아마 살면서 책을 한 권도 읽어보지 않은 사람은 없을 것이다. 가령 교과서도 책이다. 연습 삼아 책과 나의 관계에 대해 프레임을 설정해 써보자.

다음의 글들은 프레임을 잘 구성한 예다.

"태양의 촉감을 느끼며 처음 보는 행성을 만나 설레었다. 각자 빛을 내며 흩어져 있던 텍스트는 나에게로 와 새로운 별을 만들어내기도 했다. 책으로 둘러싸인 나의 우주에서 시공간을 잊은 채 꿈을 꾸었다. 많은 책을 읽지는 않았지만 다양한 꿈을 꾸었다."

— 수강생 P

"나에게 책은 '아낌없이 주는 나무'다. 잘 하고 있는지 모르겠을 때, 두 발로 선 자리가 불안할 때, 위로가 필요할 때 나는 어김없이 책을 찾았다. 돌이켜 보면 마음 한구석이 허전할 때에만 책을 찾았던 듯싶다. 책은 항상 아낌없이 주는 나무처럼 그 자리에 새로운 모습으로 있어 주었다."

— 수강생 K

"나와 글쓰기는 오랜 연인 같은 관계다. 주변에
는 늘 노트북과 종이, 연필이 있어 언제라도 마음
먹으면 뭐든지 쓸 수 있다. 연인도 언제든지 연락
하면 볼 수 있고 마음을 나눌 수 있다."

— 수강생 Y

3

퇴사, 육퇴, 은퇴를
위한 임전무퇴

에세이

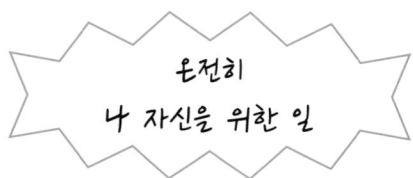

온전히
나 자신을 위한 일

'어느 날 갑자기'.

소설을 읽다 보면 대부분의 사건은 어느 날 갑자기 발생한다. 어느 날 갑자기 주인공이 사고를 당하고, 어느 날 갑자기 전학생이 오고, 어느 날 갑자기 사랑에 빠진다. 물론 이 '갑자기'가 터무니없이 등장하진 않는다. '개연성'을 바탕으로 한 복선 아래, 어느 날 갑자기 주인공이 일련의 사건을 겪는다.

'갑자기'라는 부사를 아낀다. 갑자기 좋은 글감이 떠오를 때면 내가 꽤 똑똑한 작가가 된 것 같다. 드라마를 보다 갑자기 엄마가 생각나 전화를 걸 때면 내가 꽤 사랑스러운 딸이 된 듯하다. 길을 가다 갑자기 옛날에 즐겨 듣던 음악이 떠올라 유튜브로 찾아 들을 때면 내가 꽤 낭만적인 사람으로 느껴진다. '갑자기'는 뭐랄까, 작당 모의를 부추기는 단어 같다. 예상치 못한 꽤 재미있는 사건의 시작을 암시한다고 할까. 로맨틱은 덤.

내가 운영하는 온라인 글쓰기 클래스인 '다독이는 글쓰기'의 첫 시간은 무릇 다른 모임들이 그렇듯 참가하게 된 계기로 시작한다. 각각 나름의 이유가 있겠으나 의외로 신청 배경에 '갑자기'가 가득했다. "어느 날 갑자기 글을 써보고 싶어서 시작하게 됐어요." "갑자기 무엇에 홀린 듯 신청했어요." 역시 '갑자기'는 새로운 일을 부추기는 최상의 단어다. 하지만 소설과 마찬가지로 속내를 들여다보면 시작이 '갑자기'일 뿐 진짜 '갑자기'는 아니다. 글을 보면 쓸 수밖에 없는 이유가 알알이 꽉 차 있었다.

퇴사자, 육퇴자(육아 퇴근자의 줄임말), 은퇴자…….

다독이는 글쓰기의 주요 멤버는 대개 이십 대 후반의 첫 퇴사자, 삼십 대 후반에서 사십 대 초중반의 육퇴자, 육십 대

후반의 은퇴자들이다. 지나온 삶을 정리해보고 싶은 마음이 1순위이고, 이를 지렛대 삼아 새로운 발판을 만들어보고 싶은, 책을 내게 된다면 제2의 인생을 살아볼 수 있지 않을까 하는 기대감이 2순위다. 퍼스널 브랜딩이 중요해진 시대이다 보니 제도권 밖으로 나와, 나만의 고유함이 담긴 플랫폼의 초석을 위해 글쓰기 수업을 듣기도 한다.

어떻게 보면 퇴사자, 육퇴자, 은퇴자는 원의 구심력보다 원심력에 있는 사람들이다. 자발적 혹은 비자발적으로 원의 중심에서 바깥쪽으로 밀려난 사람들. 그들에게 글은 '구심력'이 되어준다. 불확실한 미래, 아니 오늘 하루마저 희뿌연 안개로 가득해 방향감을 상실했을 때, 잡념으로 가득한 머릿속을 분리수거하고 싶을 때, 무엇보다 내가 어디에 있는지 내 자리를 잃어버린 것만 같을 때, 수많은 상실감은 글쓰기를 부추긴다.

한번은 퇴사와 육아라는 두 개의 육중한 무게감을 등에 업고 글쓰기 수업에 참여하신 분이 있었다. 유럽의 작은 시골 마을에 살았던 그분은 본인의 의지와 다르게 배우자로 인해 유럽으로 이주해 경력이 단절됐고 큰 사고와 재활을 겪으며 아픔을 통과했다. 정신적으로도 신체적으로도 힘든 시기에 우리는 만났다. 수업 시간에는 말수가 적었지만 제출한 글은 질적으로도 양적으로도 뛰어났다. 하나같이 마음을 다해 쓴 글들이었다. 직접적으로 자신의 이야기를 끄집어내지 않았으나 나는 그분의 글을 통해 지나온 삶을 알 수 있었다. 글을 읽어 내려가며 조금 울었다. 동시에 그분이 적어도 자신의 마음을 글로 정리할 수 있는 상황에 이르렀다는 것에 안도했다. 그때 처음 직접적인 대화를 나누지 않아도 오직 글을 통해서도 마음을 나눌 수 있음을 경험했다. 그렇게 한 달간의 글쓰기 수업이 끝났고, 몇 년이 흘렀다.

'어느 날 갑자기' 나는 한 통의 메일을 받았다. 5년의 독일 생활을 정리하고 귀국 짐을 싸던 때였다. 안부 인사 차 메일을 보낸다는 그 말이 반가워 왈칵 눈물이 날 뻔했다. 그 시절 그녀의 문장들이 선연히 떠올랐다. 글쓰기 수업 당시 자신의 정신은 나락으로 떨어져 있었다고, 글을 통해 아직은 내가 살아 있음을 느꼈다고, 코로나로 더 팍팍해진 일상에 단비가 되었다고, 그래서 당신도 귀국하는 나를 응원해주고 싶었다고……

"아무튼, 작가님을 응원하고 싶었어요."

마지막 문장 앞에 한참을 서성였다. 처음 그녀의 글을 읽었을 때보다 더 많이 울었다. 다만 눈물의 형질은 달랐다. 그것은 기쁨의 눈물이었다. 낸시 슬로님 애러니는 『내 삶의 이야기를 쓰는 법』에서 "몸에 깃든 슬픔을 몸 밖으로 끄집어내서 글을 쓰라"●고 했다. "안 그러면 그 슬픔이 당신 안으로 더 깊이 파고들 것"이라고. 끝끝내 그녀는 자신의 슬픔을 몸 밖으로 끄집어냈다. 그 용기에 감사했다.

우리 모두에게는 각각의 슬픔이 있다. 그 무게감 역시 각자 처한 상황에 따라 다를 것이다. 내가 극복할 수 있을 만큼만 주어지면 좋겠지만, 때로 삶이란 참 얄궂어서 도무지 감당하기 힘든 거센 파도를 동반한 고통이 밀려올 때도 있다. 이러지도 저러지도 못하는 길 잃은 내 영혼을, 꽁꽁 묶인 슬픔을 끄집어낸다. 나의 고통을 들여다본다. 그리고 쓴다. 나의 상흔과 헤어지는 행위, 글쓰기의 다른 이름이다. 쓰다 보면 외면한 혹은 미처 보지 못한 나의 진심에 귀 기울이게 된다. '이제 이 글의 마무리는 어떻게 하지?' 고민하다 보면 어

● 낸시 슬로님 애러니, 방진이 옮김, 『내 삶의 이야기를 쓰는 법(자전적 에세이 쓰기 A to Z)』, 돌베개, 2023년.

느새 꼬여 있던 무언가가 스르륵 풀린다. 마음속에서 새롭게 일어서려는 힘을 느낀다. 내 글을 쓰다 보면 곧 내 삶이 된다. 아니 내 삶이 내 글을 만든다.

> 좋은 딸, 좋은 엄마, 좋은 아내, 좋은 애인, 좋은 선생님 등 무엇이 되든 간에 내 모든 삶은 다른 누군가를 위해 무언가를 하는 것이다. 나 자신을 위해 하는 유일한 일은 글쓰기다. 아무것도 대답할 필요가 없는 진짜 자유로운 세계이다.•

우리는 왜 글을 쓸까. 기형도 시인의 '사랑을 잃고 나는 쓰네'◆라는 시구를 읽을 때마다 마음이 저릿하다. 시인은 왜 이별 뒤에 이 글을 썼을까. 결국 그는 살기 위해 썼던 것이 아닐까. 아니 써야만 살 수 있지 않았을까. 죽을 것 같은 상처가 찾아왔음에도 나는 살아야 하니까, 내가 살아가야 할 이유는 글이니까. 시인은 사랑과 글 중 '글'을 믿었던 것일까. 모르겠다. 확실한 것은 '사랑을 잃고 나는 쓰네'가 내 마음을 쓸어갔다는 점이다. 글을 써야 하는 이유를 이보다 더 명

• 줄리 필립스, 박재연·박선영·김유경·김희진 옮김, 『나의 사랑스러운 방해자』, 돌고래, 2023년.
◆ 기형도, 「빈 집」, 『입 속의 검은 잎』, 문학과지성사, 1991년.

확하게 비추는 문장을 본 적이 없다.

우리가 글을 쓰는 이유는 어떤 상실감에서일 확률이 높다. 시련이 아픈 것 역시 결국은 내가 애달파서이다. 또 다른 나를 잃어버린 것 같은 공허함을 어떤 이는 글로 채운다. 그러니까 글을 쓸 수밖에 없는 사람들이 있다. "지금 글을 쓰기 시작하지 않는다면 나는 미쳐버리고 말 것이다."▲

그녀는 여전히 오스트리아의 작은 마을에 살고 있다. 그렇지만 글을 쓰기 전과 후에 삶을 바라보는 태도는 달라졌을 거라고 믿는다. 퇴사, 육퇴, 은퇴 후 글을 쓴다고 해서 인생이 180도 달라지거나, 완전히 새로운 나를 발견할 수 있을 거라고 호언장담하지 않는다. 쓴다고 해서 뚜렷이 달라지는 것은 없겠지만 아주 조금이라도 내 마음이 내가 원하는 쪽으로 이동해 있다면, 혼란스러운 그 시기에 글을 통해 한 걸음 나아갈 힘을 얻었다면, 그것만으로 우리가 글을 쓸 이유는 충분하다.

우리 모두에게는 나에게 주어진 다양한 역할 분담으로부터 벗어나 온전히 나 자신을 위한 일 하나쯤은 있어야 한다.

▲   유르겐 도미안, 홍성광 옮김, 『태양이 사라지던 날』, 시공사, 2010년.

나를 새롭게 발견하는 마음 혹은 다르게 보는 시선, 그 생각을 기록하는 시간이 나를 나답게 만든다. 나탈리 골드버그가 말했듯, "우리가 힘을 얻는 곳은 언제나 글 쓰는 행위 자체"●에 있으니. 다시 한 번 '어느 날 갑자기'가 가진 힘을 굳게 믿어본다. 우리가 만났던 파리하게 시린 유럽의 겨울이 지나고, 창밖에선 목련이 진 자리에 벚꽃 잎이 흩날린다.

● 은유, 『쓰기의 말들』에서 재인용, 유유, 2016년.

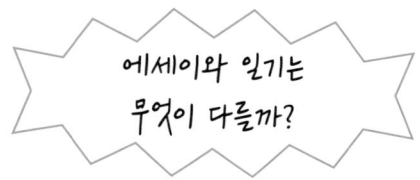

에세이와 인기는
무엇이 다를까?

한국에서 에세이라는 장르는 언제부터 인기를 끌기 시작했을까? 정설은 없지만 국내에 산문이라는 장르를 대중화한 작품은 법정 스님의 『무소유』가 아닐까 한다. 스님의 유언으로 절판된 이 책은 고리타분한 불교 개념을 일상적 에피소드로 풀어내 대중의 마음을 사로잡았다. 스님의 글은 언제 읽어도 웅숭깊고 아름답다.

여러 수록 작품 가운데 대표작은 '무소유'로 잘 알려진 난초에 얽힌 일화일 것이다.(글쓰기 강연을 해보면 이십 대는 거의 책 제목조차 모른다. 따라서 모르는 분들을 위해 간단히 줄거리를 요약한다.)

어느 날 스님은 난초를 선물 받는다. 혼자 사는 거처에 불쑥 찾아온 난초를 애지중지 아꼈으나, 여간 까다로운 화초가 아니었다. 여름에는 서늘한 그늘을 찾아 자리를 옮겨 주어야 했고 겨울에는 실내 온도를 내려야 했다. 언젠가부터 난초로 인해 오도 가도 못하는 상황을 마주하게 되면서 이 식물에 지독하게 집착하는 나를 발견한다. 집착은 곧 괴로움이었다. 급기야 스님은 용단을 내린다. 지인에게 난초를 주었고 비로소 허전함이 아닌 '홀가분함'을 느낀다. 이 홀가분함이 바로 그 유명한 '무소유'의 개념이다. 난초를 빌려 스님은 다음과 같이 전한다. "크게 버리는 사람만이 크게 얻을 수 있다는 말이 있다. 물건으로 인해 마음을 상하고 있는 사람들에게는 한 번쯤 생각해볼 말씀이다. 아무것도 갖지 않을 때 비로소 온 세상을 갖게 된다는 것은 무소유의 또 다른 의미이다."•

만약 스님께서 난초에 대한 일화를 소개하지 않고 글 전면에 '무소유'라는 화두만 언급했다면 이 책이 이만큼 사랑받을 수 있었을까.

• 법정, 『무소유』, 범우사, 1976년.

보통 에세이의 시작은 내가 겪은 일을 중심으로 쓴다. 스님께서 난초를 선물 받아 키우는 부분이다. 다음은 그 일화를 통해 내가 느낀 점을 쓴다. 스님 역시 난초로 인해 겪은 좌충우돌을 썼다. 여기까지의 구성은 일기와 거의 같다. 일기를 쓸 때도 그날 겪은 일과 느낀 점을 쓴다. 그렇다면 에세이와 일기는 어떤 차이점이 있을까? 바로 스님께서 난을 통해 '무소유'라는 개념을 언급한 것, 이 교차로에서 에세이와 일기는 다른 길을 간다.

일기가 아닌 에세이를 쓰고 싶다면, 자신이 겪은 일을 통해 어떤 메시지를 전할 것인가를 고민해봐야 한다. 시시콜콜한 경험담만 나열식으로 쓴다면 글쓴이가 유명인이 아닌 한 독자는 큰 흥미를 느끼지 못할 것이다. 보통의 날들을 의미화해서 보편적인 감정으로 이끌어냈을 때, 그 글은 일기가 아닌 에세이라는 옷을 입는다.

"에세이의 어원은 저울을 뜻하는 후기 라틴어 엑사기움 exagium에서 왔다. 에세이는 대상을 측정하는 글이자 언어를 날아오르게 해서 확장을 꾀하는 일이다. 작가는 고강도의 관찰을 업으로 삼는 사람"◆이다. 즉 에세이의 백미는 일상의

◆ 브라이언 딜런, 김정아 옮김, 『에세이즘』, 카라칼, 2023년.

의미화와 관찰에 있다. 달리 말하면 '헤아리는 마음'이다. 나도 보았고 당신도 보았을 똑같은 '달'을 보며 마음이 따뜻한 어떤 이는 어머니의 마음을, 희망을, 동심을, 혹은 세심한 감각의 누군가는 달의 뒷면을 볼 수도 있다. 무심코 지나간 어떤 사물과 에피소드에서 새로운 생각을 길어 올리는 것, 그것이 에세이다.

'아 맞아, 나도 그런 적이 있었어. 그럴 때 이런 생각을 할 수 있구나.' 나 역시 느꼈지만 말로 표현하기 어려웠던 감정을 활자로 만났을 때 독자는 그 글에 감응하게 된다. 가려운 부분을 시원하게 긁어주는 기분이 든다.

예를 들어 봄을 맞아 집 안에 화초를 키우기 시작했다. 처음에는 화초가 잘 컸는데 어느 순간부터 성장이 더디더니 시들시들해진다. 아무리 궁리해봐도 뾰족한 수가 없어 유튜브를 찾아봤다. 식물 집사들의 공통된 조언은 물뿐만 아니라 바람이 중요하다는 것이었다. 여기까지가 구성 1단계 에피소드 부분이다. 2단계는 화초에 바람을 쐬어 줬더니 성장에 변화가 있었고 이를 통해 내가 느낀 감정을 쓴다. 3단계는 어쩌면 식물과 마찬가지로 우리네 인생에 이따금 다가오는 차가운 바람도 나를 '나'이게 만드는, 나를 성장하도록 도와주는 지렛대가 되어줄 수도 있겠구나 하는 식으로 의미화하는 과정이다.

내가 겪은 일이므로 에피소드를 풀어내는 것은 어렵지 않다. 마지막 3단계, 어떻게 의미화할 것이냐가 난관이다. 어떻게 해야 글에 색다른 생기를 불어넣을 수 있을까? 쓰는 사람은 예민해야 한다. 늘 촉수를 세워야 한다. 아주 사소한 것에도 의미 부여를 할 줄 아는 사람이 곧 글을 잘 쓰는 사람이다.

가령 한정원의 『시와 산책』을 보면 어르신들의 몸이 가벼워지는 것을 가리켜, 나이가 들수록 "뼈가 비워지는 탓이겠지만 점점 더 많은 것들을 단념해서 버려지는 무게도 분명 있을 것"*이라고 표현한다. 밤에 동네 산책을 하며 "전등이 켜진 집과 빈집의 어둠 사이를 이으면 별자리가 될 것 같다"고도 썼다. 우리 역시 평소 불이 켜진 집과 그렇지 않은 집을 오간다. 일상적인 장소도 쓰는 사람의 마음으로 들여다보면 특별한 공간이 된다. 아주 미약한 것도 허투루 넘기지 않는 세심함, 모든 것에 귀 기울이기는 배려, 길가에서 흔하게 볼 수 있는 작은 돌멩이마저 사랑하는, 결국 세상을 향한 '다정한

● 한정원, 『시와 산책』, 시간의 흐름, 2020년.

마음'이 에세이의 밑거름이다.

미시적인 마음으로 세상을 바라보면, 작은 것에도 감동하고 행복할 줄 아는 사람이 된다. 그 시선을 글로 옮기다 보면 한 편의 글이 된다. 세상에 쓸모없는 것은 없다. 쓸모없다고 여겨졌던 그 무엇에 쓸모를 입혀주는 작업이 글쓰기다. 내가 바라보는 모든 것이 글이 된다. 넓게 헤아리는 마음으로부터 일기에서 에세이로 글쓰기의 외연이 확장된다. 당신에게도 글쓰기라는 끝없는 우주가 펼쳐진다.

에세이 구성 3단계

구성 1단계: 에피소드를 쓴다.

ex) 법정 스님께서 난초를 받아서 가꾸는 일화

구성 2단계: 에피소드를 통해 느낀 감정을 쓴다.

ex) 난초를 키우며 겪는 좌충우돌과 집착

구성 3단계: 의미화를 통해 감응을 불러일으킨다.

ex) 난초를 다른 이에게 주고 나서야 느낀 홀가분

　　함과 무소유

1. 쉽고 친절하게 쓴다

에세이는 쉬워야 한다. 글 중에서 가장 대중적이
고 접근성이 쉬운 장르라는 특성을 상기하자. 에세이

의 핵심은 일상성에 있다. 내가 겪은 이야기를 어렵게 꼬아서 쓰고 있는 것은 아닌지 냉정하게 살펴보고 누구나 이해할 수 있도록 쉽게 풀어 써보자.

2. 감정을 자제한다

대놓고 너무 힘들었다, 짜증났다, 재미있었다, 신났다를 쓰지 않도록 유의한다. 이런 감정들을 시시콜콜하게 쓰면 극히 개인적인 글로 비쳐질 수 있다. 가령 친구들에게 왕따를 당해 속상했던 마음을 '힘들었다'라고만 쓰지 않고, "어두운 밤, 나 홀로 걸어갔다. 그날은 가로등마저 켜져 있지 않았다. 달도 별도 하나 없이 그저 깜깜했다"로 써본다.

3. 진실하고 담백하게 쓴다

고故 피천득 선생님은 "수필은 쓰는 사람을 가장 솔직히 나타내는 문학 형식"●이라고 했다. 에세이는

● 피천득, 「수필」, 『인연』, 민음사, 2018년.

대체로 자신의 이야기를 쓰는 것이다 보니, 나를 어디까지 드러낼 것인가, 그 범위를 두고 자주 고민에 빠진다. 더욱이 가족이나 주변인에 관한 이야기가 나오면 민감할 수도 있다. 스스로 기준을 세우되, 나 혹은 주변인을 지나치게 미화하거나 반대로 확대 해석하지 않았는지 객관적으로 살펴보자. 독자가 에세이를 읽는 이유는 솔직함, 살아 있는 생생함에 있다. 많은 수강생의 글을 보았지만 결국 좋은 글은 강렬한 미사여구보다 글쓴이의 솔직한 마음이 담겨 있는 글이었다.

4. 상투적이고 교훈적인 표현은 삼간다

에세이뿐 아니라 모든 글에 해당하는 사항이다. 관용구는 많이 써서 관용구다. 상투적인 문장은 물릴 수밖에 없다. '경종을 울린다', '간담이 서늘하다', '밤하늘의 별 따기다' 대신에 참신한 표현을 찾아보자.

교훈적인 표현 역시 재미없거나 밋밋한 글이 될 소지가 다분하다. '더 열심히 살아야겠다', '희망 메신저가 될 것이다'와 같은 누구나 할 수 있는 모범 답안은 감동을 주기 어렵다. 익숙한 길로만 가면 아무것도 발견할 수 없다. "사람들은 두려움을 느끼거나 습관을 버리지 못할 때 상상력을 제일 먼저 희생시킨다."• 쉬운 길이 아닌 새로운 길을 생각해보자. "작가란 문장을 생각하는 사람이다. 즉 문장 사고가"◆이다. 어떤 문장으로 내 생각을 참신하게 전할 수 있을지 고민할 때 글쓰기는 향상된다.

물론 이 참신함은 말이 쉽지 글로 표현하기는 어렵다. 독자의 익숙한 반응을 차단하기 위해 러시아의 문학이론가인 빅토르 시클롭스키Viktor B. Shklovskii는 '낯설게 하기'를 제시한 바 있다. 시치미 떼기라고도 하고, 미술에서는 '초현실주의'를 예로 든다. 르네 마그리트는 파이프를 그려놓고 '이것은 파이프가 아니다'라는 제목을 통해 감상자에게 '뭐지?' 하는 질문을 던졌다.

전혀 어울릴 것 같지 않은 것들을 의도적으로 조합함으로써 새로움을 창출해내는 방식은 19세기의 프

● 로랑스 드빌레르, 이주영 옮김, 『모든 삶은 흐른다』, 피카, 2023년.
◆ 롤랑 바르트, 김화영 옮김, 『텍스트의 즐거움』, 동문선, 2022년.

랑스 상징주의를 이끈 스테판 말라르메, 아르튀르 랭보 등의 시와 초현실주의 작품들을 통해 배울 수도 있다. 다음은 피에르 르베르디▲의 시다.

> 시내에는 흘러가는 노래가 하나 있다.
> 낮이 하얀 식탁보처럼 접혔다.
> 세계가 한 개 자루 속에 들어간다.■

한낮이 접힌다고는 생각조차 해본 적이 없다. 이 시를 참고 삼아 나를 한 줄로 표현해보자. 의외의 조합이 의미심장한 문장을 이끌어낼 가능성이 높다.

> 나는 (형용사) (명사) 이다.
> ex) 나는 호기심 많은 나무늘보다.

> 형용사: 배려심 있는, 친절한, 자유로운, 다정한, 행복한, 명랑한, 열정적인, 진취적인, 호기심 많은, 추진력 있는, 강인한, 꿈꾸는, 굳센, 야

▲ 르베르디는 초현실주의 운동에 참가하지는 않았으나 그 제창자들에게 큰 영향을 준 시인이다.

■ 앙드레 브르통, 황현산 옮김, 『초현실주의 선언』, 미메시스, 2012년.

무진, 당당한, 조용한, 유쾌한, 성실한, 긍정적
인…….

명사: 딸, 아들, 사람, 인간, 여자, 남자, 스피커,
펜, 책, 열쇠, 라디오, 낙타, 소, 곰, 호랑이, 너구
리, 나무늘보, 고양이, 나무, 산, 우주, 태양, 하
늘, 호수…….

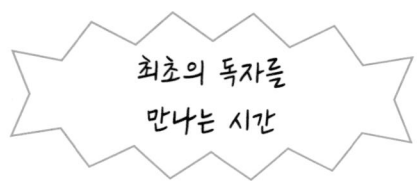

최초의 독자를
만나는 시간

　태양이 가장 뜨거운 오후 2시, 은은한 달빛이 비치는 밤 10시, 아침 이슬이 기지개를 켜는 오전 7시, 각자 다른 시공간에 사는 우리는 토요일이면 일제히 동시 접속한다. 목소리를 가다듬고, 종이와 펜을 준비한다. 내 글을 들어줄 최초의 독자가 기다리고 있다. 몇 날 며칠 밤새워 써 내려간 글을 처음 발화할 때 느끼는 야릇한 쾌감은 가끔 관능적이기까지 하다. 내 글에 대한 첫 평가를 기다리는 초조함이 결합된 묘한 시간, '합평'.

　처음 합평을 제안했을 때 수강자들은 쑥스러워했다. 대부분 학교나 직장에서 프레젠테이션을 해본 경험은 있지만, '낭독'은 처음이었다. 설명이나 주장이 아니라 자기 인생이 고스란히 배어 있는 글을 타인 앞에서 읽는다는 것은 민낯을 그대로 보여주는 것과 같다.

한동안 어색한 공기가 감돈다. 낭독자의 어깨는 약간 삐죽삐죽하고, 볼에는 연분홍빛이 발갛게 달아오른다. 파르르 떨리는 목소리를 타고 첫 글이 첫 독자 앞에서 공개된다. 나머지 수강자들은 조용히 귀를 기울인다. 점차 낭독자도 청자도 글에 빠져든다.

각자 쓴 글을 읽고 평가만 해도 되겠지만 굳이 낭독을 권하는 이유는 낭독자에게는 읽는 것 자체가 제2의 퇴고이기 때문이다. 읽다 보면 십중팔구 고칠 부분이 나온다. 문장과 문장의 연결이 매끄럽지 못하면 낭독이 막히기 마련이다. 낭독자는 글을 읽으면서 고쳐 나간다. 낭독이란 소리 내어 읽는 동시에 쓰는 작업인 셈이다. 어떤 청자는 조용히 눈을 감고, 어떤 이는 바지런히 메모해 가며, 혹은 낭독자를 물끄러미 바라보며 글을 듣는다. 눈이 아닌 귀를 통해 전해져 오는 활자들은 또 다른 살아 있음으로 나비처럼 귓전에 날아든다.

낭독이 끝나고 글에 대한 의견을 나눈다. 처음에는 다들 별다른 의견을 내놓지 못한다. 그저 좋다고만, 공감된다고만 하는 경우가 대다수다. 물론 하나같이 열심히 쓴 글이지만 좋은 글이라고는 할 수 없다. 우린 모두 초보자니까. 그럼에도 좋았다고밖에 말하지 못하는 것은 글을 평가하는 것 자체가 낯설어서다. 한편으로는 '내가 초보인데 감히 누구를 비평할 수 있겠어'라는 겸손이 기저에 깔려 있다.

분명한 건 글은 쓰다 보면 실력이 는다는 점이다. 합평도 하다 보면 는다. 점차 말이 하고 싶어 아우성친다. 초반에는 글의 전체적인 분위기를 파악하는 데 그치지만, 반복적으로 집중해서 듣다 보면 단어 하나하나의 쓰임에 대해서까지 곱씹게 된다. 나아가 각 단락이 어떻게 연결되는지, 어떻게 구성을 짰는지, 어떤 접속사 혹은 인용에 의해 문장들이 연결됐는지 꼼꼼히 구조를 파악하며 듣게 된다. 단순했던 감상이 날카로운 비평으로 변모해 간다. 유명 강사나 작가의 코치도 좋지만, 자신과 비슷한 보통의 독자가 지적하는 평가가 더 예리하고 현실적이다. 무엇보다 수강자들은 다른 이의 글에 대한 평가에 진심이다. 정기적으로 만나다 보니 D는 비유나 묘사를 잘하고, A는 인용을 탁월하게 사용하며, C는 문체가 담백하다는 스타일까지 잡아낸다. 바야흐로 글을 보는 안목이 생긴 것이다.

4년이 넘도록 합평 모임을 하고 있지만 우린 서로의 개인사를 알지 못한다. 시차로 인해 사는 곳을 인지했고, 화상회의 아이디가 이름을 말해줬을 뿐이다. 그러고 보니 그 흔한 나이조차 모른다. 자신이 살아온 인생을 구구절절 말한 적은 더더욱 없다. 그런데 신기하게도 아주 오래전부터 알고 지낸 사람처럼 서로의 마음을 쓰다듬는다.

반려묘의 죽음을 함께 애도했고, 주변인의 우려를 뒤로한 채 과감히 나아간 선택을 응원했으며, 후회로 점철된 과거를 위로했다. 한번은 연극을 공부하는 분께서 극 대본을 써 와서 다 함께 연기를 한 적도 있다. 과연 온라인으로 될까 싶었는데 그날 새벽 3시를 넘기며 최선을 다해 각자 맡은 배역을 소화해냈다. 일반인이 살면서 연기를 할 일이 얼마나 될까 싶지만 막상 해보니 우리 모두에게는 드라마의 DNA가 숨어 있었다. 끝나가는 시간이 외려 아쉬울 정도로 희열이 극

대화된 시간이었다.

다른 시공간에 살고 있는 우리가 '글'이라는 공통의 관심사로 모여 자음과 모음에 담긴 마음을 나눈다. 때로는 너무 웃어서 배가 아팠고 때로는 너무 울어서 마음이 아팠다. 나는 마치 영화 〈북 클럽〉이나 〈건지 감자 껍질파이 북 클럽〉의 동화 같은 이야기를 매주 쓰는 호사를 누리고 있다. 소설 『콜 미 바이 유어 네임』에서 엘리오는 첫사랑에 빠진 감정에 대해 '까무러칠 정도의 황홀함'이라고 일기장에 적었다. 첫사랑에서 아주 멀리 이탈해 온, 약간은 시시한 감정을 가진 어른이 된 나는 합평을 통해 까무러칠 정도의 황홀함을 느낀다고 이 글을 통해 고백한다.

수강생들이 발견한 일상의 의미화가 근사했고, 그들의 생각 주머니에서 발화한 글들은 발그레한 꽃잎처럼 아름다웠으며, 무엇보다 이를 함께 나눌 수 있음에 충만했다. 주중의 우리는 각자 글을 읽고 쓴다. 토요일이 오면 서로의 글을 듣고 말한다. 읽고 쓰고 듣고 말하며 삶에서 절대 잊어버려서는 안 되는 것들을 말간 얼굴로 만나는 시간. 나는 기쁜 마음으로 그 소박하고 정겨운 토요일을 기다린다.

함께 읽고 쓰고, 합평

1. 정해진 기간 안에 표준화된 분량(A4 용지 1~2페이지)으로 글을 쓴다.(주제는 자유다.)
2. 각자 낭독할 글을 공유한다.
3. 미리 글을 읽어 온다.
4. 낭독은 반드시 소리 내어 또박또박 실감 나게 한다.
5. 선 칭찬, 후 비판으로 진행한다. 평가에는 반드시 합당한 근거가 동반되어야 한다.

합평의 효과

1. 낭독을 통해 자신의 글을 다시 한 번 퇴고할 수 있다.
2. 내 생각을 말하는 훈련을 키울 수 있다.

3. 내 글에 대한 타인의 의견을 들어볼 수 있다.

4. 글을 보는 안목을 높일 수 있다.

5. 역지사지의 마음, 타인을 이해하는 능력을 쌓아갈 수 있다.

6. 다른 사람의 글을 통해 문장 구조와 문장력 등을 배울 수 있다.

7. 수강자들 간에 따뜻한 우정을 나눌 수 있다.

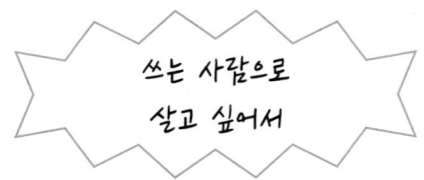

쓰는 사람으로
살고 싶어서

글을 쓰고 싶어 하는 사람은 '관종'이라고 생각한다. 그렇지 않고서야 내가 쓴 글을 출판하고 싶어 할 이유가 없다. 물론 자신의 글을 다 불태워버리라고 유언을 남긴 프란츠 카프카 같은 작가도 있고, 제롬 데이비드 샐린저처럼 『호밀밭의 파수꾼』 출판 이후 은둔 생활을 하며 자신만을 위한 글을 쓴 사람도 있지만, 글쓰기 수업을 듣는 수강자들의 최종 목표는 대부분 출판이었다.

언젠가 4050세대의 버킷리스트 1위가 '내 책 내기'라는 설문조사를 본 적이 있다. 자기 PR 시대이다 보니 요즘은 독자만큼이나 작가도 많다. 누구나 내 이야기를 하고 싶어 하는 세상이다. 수많은 이유를 뒤로하고 내 이름으로 된 책, 그 자체만으로 멋지지 않은가! 나는 이런 지적 허영심은 아주 많이 가져도 좋다고 생각한다. 그 허영심이 나를 더 괜찮은 사람으로 만들어줄 거라 믿어 의심치 않는다.

　나의 첫 책 출판 역시 지적 허영심에서 비롯됐다.
　방송작가로서 소비된다는 느낌을 자주 받았다. 사무적으로 그날그날 방송을 해치우는 대본 기계. 온에어로 전파를 타고 나가면 사라져버리는 글들이 아까웠고 애처롭기까지 했다. 방송 제작은 나 혼자만의 작업이 아니기에 내 작품이라고 말하기도 어려웠다. 내 글이 방송을 타기만 하면 소원이 없겠다고 조잘대던 새내기 방송작가의 꿈은 어느새 "내이름으로 된 책이 한 권 나오면 소원이 없겠네"로 바뀌었다. 그때가 서른이 되던 해였고, 마침 방송작가 동료이자 친구와 한 달간 튀르키예 여행을 도모하던 참이었다.
　"여행 에세이를 써보자!"
　유명 작가들을 섭외만 했지 출판 시장에 대해서는 문외한

이었던 두 사람은 무식하면 용감하다는 관용구를 등에 업고 공동 출판 계획을 세웠다. 서른을 기념해 기념비적인 기록 하나를 만들고 싶었다. 아무것도 모르는 상태에서 무턱대고 글을 쓰자는 데 의기투합했다.

극도의 스트레스를 털어버리고 떠난 여행이어서 그랬을까. 다시없을 꿈같은 나날이었다. 우린 젊었고 튀르키예라는 나라는 로맨스에서 서스펜스까지 별의별 경험들로 여행자를 유혹했다. 에피소드가 넘치는 여행 가운데 하루를 마무리하는 밤이면, 이슬람 사원에서 『코란』을 읊조리는 소리가 들리는 새벽 4시까지 글을 썼다.

한번은 '성스러운 도시'라는 뜻의 '히에라폴리스Hierapolis'를 방문한 적이 있다. 이 고대 도시의 북동쪽에는 죽은 자들의 도시라 불리는 '네크로폴리스Necropolis'가 있는데 1천여 개의 석관들이 무질서하게 놓여 있었다. 기원전 2세기, 이곳의 온천수가 만병통치약이라는 소문이 퍼지면서 많은 이들이 치유를 위해 히에라폴리스를 찾았다. 어떤 이는 병을 치료하지 못해 죽었고, 어떤 이는 가는 도중에 객사해 타지에 묻혔다. 병을 고치러 가는 길에 죽다니, 애석하기 짝이 없다. 길을 나선 이는 자신의 미욱함을 탓했을까. 이 또한 운명이라며 받아들였을까. 어떤 심정이었을지 짐작조차 가지 않는다. 죽음은 모든 이에게 공평하게 찾아온다지만, 흔적은 불공평했다. 고관대작을 지낸 어떤 이의 석관에는 화려한 이력이 휘황찬란한 장식과 함께 새겨져 있었으나, 반대편엔 그저 돌덩이로밖에 보이지 않는 크고 작은 비석들이 무질서하게 놓여 있었다. 무덤은 계급과 부를 적나라하게 보여주었다. 히에라폴리스의 바람에 맞서 나뒹굴고 있는 석관들을 보며 안부를 묻고 싶었다. 세상에 기억되지 않을 하찮은 인생이란 없다고, 당신이 어떤 삶을 살았는지 궁금해하는 어떤 이가 있다고……

아마 그때였던 것 같다. 불현듯 평범한 내 삶을 책으로 남기고 싶다는 열망이 아주 강하게 들었다. 어떻게 보면 책은 보잘것없는 내가 남길 수 있는 유일한 삶의 기록이 되지 않을까. 폐허가 된 고대 유적지에서 이상하리만치 강렬한 생의 의지를 얻었다. 꼭 책을 내고야 말겠다는 각오를 아로새겼다. 죽음과 삶은 늘 이렇게 공존한다.

좌충우돌 여행을 마치고 돌아와 출판 기획서를 작성하고 투고를 시작했다. 어떻게 보면 운이 좋았다. 첫째, 지금처럼 에세이라는 장르가 유행을 넘어 포화 상태가 아니었다. 둘째, 그 당시엔 몰랐지만 방송작가라는 직업이 가진 달란트가 있었다. 셋째, 일이 되려면 된다고 초짜들의 초고를 받아준 출판사에서는 해외여행 시리즈를 기획하고 있었는데 아시아나 배낭여행의 성지 유럽이 아닌 이색 국가를 찾고 있었다. 이 삼박자가 맞아떨어져 수많은 출판사로부터 퇴짜를 맞긴 했지만 비교적(?) 어렵지 않게 쥐꼬리만 한 선인세를 받고 첫 책을 낼 수 있었다. 지금 생각해보면 터무니없는 액수였지만 그때는 책이 나온다는 것 자체만으로도 감개무량해 환희 속을 누볐다. 발밤발밤 내가 원하는 세상을 향해 나아가고 있다는 기분은 근사했다.

그렇게 내 생애 첫 책이 나왔다. ISBN이 찍힌, 내 이름이 새겨진 첫 책을 손에 쥐었을 때의 떨림은 아직도 선연하다. 오른쪽 검지로 저자명을 쓱쓱 만지고 또 만져봤다. 믿어지지 않아서 손끝의 감촉으로 확인해보고 싶었다. '강가희'를 몇 번이나 만져봤는지 모른다. 지문이 닳도록 문지르다 품에 안고 잠이 들었다.

첫 책은 일장춘몽과도 같았다. 기쁨은 거기까지였다. 책은 흥행에 성공하지 못했다. 누구는 책을 내고 삶이 180도 바뀌었다는데 내 일상의 궤적은 1도 달라지지 않았다. 우리 집 책장에 팔리지 않은 내 책이 여러 권 쌓였을 뿐. 폭죽 한 번 터트리지 못하고 파티는 끝났다.

한 번씩 첫 책을 펼쳐보면 나조차 부끄럽다. 누구에게도 추천하기 어려운 서툶으로 가득한 책이지만 '처음'이라는 상징성 하나만으로도 내게는 사랑스러운 첫째다.

사람의 욕심은 끝이 없다. 개츠비의 끝없는 욕망을 기꺼이 이해한다. 누구라도 그가 그토록 갈망했던 초록색 등불(첫사랑이었던 데이지의 집에서 퍼져 나오던 초록빛) 하나쯤 마음에 품고 있을 것이다. 그 갈망은 화수분과 같아서 기어코 갖게 되면 또 다른 무언가를 원하게 된다. 내 이름으로 된 책 한 권만 내면 소원이 없을 줄 알았는데 마음에 갈증이 생기니 욕심이 인다. 두 번째 책을 떠올려보게 된 것이다. 앞서 낸 책이 공동 저자였으니 이번엔 단독으로 책을 쓰고 싶었다. 절묘하게도 그 욕망이 꿈틀거렸던 때는 내 생애에서 가장 큰 고독을 맛본 시절이었다. 한달음에 연거푸 쓰기 시작해 5년 동안 총 세 권의 책이 세상에 나왔다.

그사이 출판업계는 많이 달라졌다. 이 업계에도 유행이 있고 생리가 있다. 특히 SNS의 힘이 커졌다. 예전에는 작가라고 하면 집에서 조용히 글만 쓰는 은둔형을 떠올렸겠으나, 요즘은 작가들이 자신의 춤 영상을 릴스에 올리고 일상 브이로그를 찍어서 유튜브로 공유하는 시대다. 출판사나 방송국 홍보는 책 판매에 큰 영향을 미치지 못한다. 물론 인기리에 방영 중인 드라마에 나오거나, BTS 같은 거물급 아티스트가 인스타그램에 올려주면 파급 효과가 어마어마하지만 말이다. 이 같은 이유로 출판사에서도 작가가 가진 파워를 본다. 글 솜씨가 좋지 않아도 유튜브 10만 구독자를 보유하고 있다면 출판이 쉬워진다. 어쩌면 출판사에서 먼저 책을 내자고 제안할지도 모른다. 나 역시 모 유명 유튜버가 책을 내는 데 원고를 교정해 달라는 제안을 받아본 적이 있다.(물론 거절했지만.)

세상의 가치는 어느 쪽으로 향하고 있는 것일까. 글을 못

써도 스타성이 있다면 책을 낼 수 있다. 현타가 오지 않았다면 거짓말이다. 그렇지만 언젠가부터 생각이 바뀌었다. 책이란 누군가에게 읽혀야 책이다. 나만 볼 책이라면 출판할 이유가 없다. 대중이 필요로 하는 무엇이 있어야 한다. 저자가 인플루언서인 데에는 그만한 이유가 있을 것이다. 즉 그는 대중이 좋아할 만한 요소를 갖고 있다. 책은 누군가에게 읽혀야 가치를 얻는 법이니까.

출판을 계획하고 있다면 과연 내 글이 사람들이 돈을 지불하고 읽을 만한 가치가 있을까를 고민해봐야 한다.(음, 갑자기 찔린다. 과연 내 글은?) 자랑하고 싶어서인지, 만용은 아닌지, 이 책의 타깃이 분명하고 읽어줄 만한 독자층을 갖고 있는지 객관적으로 검토해보자. 출판 역시 철저히 자본주의의 원리에 의해 돌아간다. 입장을 바꿔 내가 독자라면 이 글을 서점 가판대에서 보고 지갑을 열까? 투고에 앞서 질문해보자. "'좋은 글인가', '나쁜 글인가'의 문제가 아니라 출판할 만한가, 또는 그렇지 못한가의 문제이다. 일기는 말라르메의 구분을 빌리자면 앨범에 불과하다."•

기록과 출판은 또 다른 문제다. 나를 위한 글에서 모두를

• 롤랑 바르트, 김화영 옮김, 『텍스트의 즐거움』, 동문선, 2022년.

위한 글로 나아갈 때 출판이란 최종 목적지에 도달할 수 있다. 나만의 소장용에 불과한 사적인 이야기만 쓰지는 않았는지 점검해보자. 개인에서 사회적 담론으로 퍼져 나갈 만한 주제인지, 누군가의 공감을 살 수 있는 내용인지를 독자의 눈으로 바라봐야 한다.

혹자는 꼭 책을 내야 하느냐고, 그냥 기록용으로 쓰면 안 되느냐고 반문할 수도 있다. 물론 이 역시 스스로 만족한다면 좋은 취미이자 특기가 될 수 있다. 다만 아무런 목표 의식 없이, 더군다나 작가를 직업으로 갖지 않은 사람이 꾸준히 글을 쓰기란 쉽지 있다. 헬스장을 끊어놓고 3개월 이상 꼬박꼬박 다니기가 어렵듯이 글 역시 동력 없이 지속성을 유지하기란 만만치 않다. 꼭 출판이 아니더라도 일주일에 한 번 이상 일기 쓰기라는 작은 실천에서부터 브런치 작가 데뷔, 글쓰기 공모전, 글쓰기 모임, 북클럽이나 서평 참여 등 글쓰기를 지속할 수 있는 목표 설정은 필요하다. 좋은 목표는 꾸준함의 동기 부여가 된다.

나는 글이라는 바다에서 오랫동안 유영하고 싶었다. 헤엄

치기를 멈추지 않을 수 있는 방법이 출판이었다. 그래서 이 글을 쓰면서도 다음 책의 출판을 고민한다. 계속 쓰는 사람으로 살고 싶어서.

1. 프로필 및 원고 작성

프로필

유명인이 아닌 한 프로필은 필수다. 가끔 책날개의 저자 소개를 보면 책을 좋아하고 고양이를 키운다 등 간략하게 시처럼 적어놓은 경우가 있다. 이를 따라 프로필을 작성하는 사례가 있는데 출판 시장에서 나는 철저하게 신인임을 자각해야 한다. 이력이 뚜렷하지 않은 사람과 계약을 결정할 출판사는 드물다. 기성 작가가 아니라면 프로필은 자세하게 쓰는 것이 좋다. 출신 학교, 직업, 개인 SNS 주소 등을 기재한다.

출판사에 따라 다르지만 한 수강생의 경우 프로필에 기재되어 있는 학과 전공을 보고 전혀 예상치 못한 다른 분야의 출간을 제안받기도 했다. 꼼꼼한 프로필은 필수다.

목차

글 전체를 완성하지 못했더라도 목차는 있어야 한다. 목차는 어떻게 보면 책의 설계도. 이 책을 어떤 의도로 집필했으며 어떤 내용을 담고 있는지 한눈에 이해할 수 있는 지표다. 출판사 입장에서도 목차를 통해 책의 내용을 손쉽게 파악할 수 있다. 목차는 일목요연하게 정리하는 것이 좋은데, 보통 세 챕터에서 여섯 챕터 혹은 그 이상도 분야에 따라 구성할 수 있다.

제목

제목을 출판사에서 정해주겠거니 하는 안일한 생각은 금물이다. 평이한 제목을 지적하며 저자가 깊은 고민을 하지 않은 것 같다는 출판사의 피드백을 받은 수강생도 있었다. 표지 디자인과 제목은 독자의 구매에 엄청난 영향력을 미친다. 제목은 별 다섯 개!

본문

원고를 백퍼센트 완벽하게 다 써서 투고할 필요는 없다. 분량이 정해져 있지는 않지만 한 권의 책이 나오려면 최소 전체 글의 60퍼센트 이상은 있어야 출판 관계자도 어느 정도 내용을 이해하고 출판 여부를 고민할 수 있을 것이다. 분량은 한글 10~11포인트로 50~100페이지 사이로 권하지만, 이것은 지극히 개인적인 경험에 기반한 것이기에 정답은 아니다. 한 수강생의 경우 목차와 세 편의 글만 투고했는데 출판 계약을 맺기도 했다.(참고로 그는 인플루언서였다.)

프롤로그 / 에필로그

글의 시작과 끝을 알리는 꼭지이니 꼭 써보자. 특히 프롤로그는 저자가 왜 이 책을 썼는지 이유를 알리는 지면이기도 하므로 출판의 당위성에 힘을 실어줄 수 있다.

옵션: 홍보 계획안 / 유사 서적의 시장 조사

내 책과 비슷한 분야의 책은 어떤 것들이 있는지 시장 조사를 해보고, 타깃을 분석한다. 요즘은 신인 작가에게 홍보 계획안을 필수로 요구하는 출판사도 있다. 출판 시장에서 작가의 역량과 홍보가 중요해졌음을 방증하는 현상이다. 북 토크, 강연 등 저자가 책을 홍보하기 위해 어떤 활동을 할 것인지 적극적으로 기입해보자.

2. 출판사 찾아보고 투고하기

나는 이름만 들어도 알 만한 초대형 출판사는 과감히 패스했다. 애초에 중소형 출판사 위주로 알아보았다. 출판사 선정이 무엇보다 중요한데, 출판하려는 책과 유사한 성격의 책을 출간하는 출판사를 택해야 한다. 육아 전문 출판사에 여행 에세이를 투고한다면 당연히 거절 메일을 받거나 답조차 못 받을 가능성이 높다. 연관 있는 출판사들을 찾아보고 리스트를 정리한 뒤 홈페이지나 인스타그램을 검색해본다. 대부분의 출판사는 인스타그램을 운영하며 투고 이메일을 안내하고 있다.

실전 투고 메일 보내기

투고 이메일을 보낼 때 제목 칸에 글의 분야를 써주는 센스를 발휘하면 좋다.

ex) 투고합니다.(×)

'독일 여행 분야 에세이' 투고 합니다.(○)

메일 내용란에는 짧게 자신을 소개하고 연락처를 남긴다. 다음으로 워드나 한글 형식의 원고 파일을 첨부한다. 보통 일주일, 길어도 한 달 이내에는 답이 온다. 거절 답장조차 안 오는 경우도 있다. 오히려 내가 송구해지는 정성 가득한 반려 메일을 받기도 한다.(출판사 직원들은 글을 참 잘 쓴다.) 출판사에서 원고가 정말 마음에 들면 투고한 다음 날 바로 연락이 올 때도 있다. 세상에 나와야 할 책은 분명 나오기 마련이다.

3. 출판 형태

급변하는 세상만큼이나 출판 시장 역시 저변이 확
대되고 출판 형태도 다양해졌다.

ISBN 출판 등록이 되는 기획 출판

모두가 원하는 형태의 출판이다. 출판사와 정식
계약서를 쓰고 원고료를 받거나 인세를 받고 출판되
며 각종 인터넷, 오프라인 서점에서 책이 판매된다.

독립 출판 / 크라우드 펀딩

독립 출판의 형태는 좀 더 세분화되어 있다.

— 작가가 출판 비용 일부 지불, ISBN 등록 가능
   한 책 출판

— 작가가 출판 비용 일부 지불, ISBN 없는 개인
   소장용 + 일반 판매용으로 출판

— 작가가 책을 몇 부 이상 구매하겠다는 조건하
에 출판사에서 제작 출판

독립 출판이 무조건 나쁜 것은 아니다. 『죽고 싶지
만 떡볶이는 먹고 싶어』라는 책은 독립 출판으로 제
작됐지만, 국내 성공에 힘입어 해외로도 진출하는 등
고공 행진을 기록했다. 『달러구트 꿈 백화점』 역시 독
립 출판, 크라우드 펀딩을 통해 세상에 이름을 알렸
고 이후 전자책, 종이책이란 역주행 전략으로 대성공
을 거뒀다.

전자책 출판

'크몽' 등 각종 구인/구직 플랫폼을 통한 전자책
출판이 있다. 이용자가 다운로드 시 일정 퍼센트의 수
익이 저자에게 돌아간다. 보통은 종이책을 선호하지
만 전공 분야나 팁을 전수하는 실용서의 경우 전자책
을 고려하기도 한다.

4. 출판 프로세스

계약을 마쳤다고 다음 달에 바로 출판이 되지는 않는다. 출판사에도 일정이 있으므로 그에 맞춰 대략적인 출판 일자가 나온다. 그 사이 저자는 출판사와 세부 콘셉트를 논의하고 원고를 보완 및 수정하는 작업을 거친다. 이 과정이 생각보다 길고 지난하다.

원고 편집이 끝나면 디자인 팀에서 책 디자인 및 표지를 제작한다. 표지 시안은 보통 서너 개 정도가 나오는데 저자는 여러 시안에 대해 자신의 의견을 피력할 수 있다. 책 만드는 과정에서 표지가 나왔을 때가 제일 심쿵한다. 책을 하나의 그림으로 보여주는 상징성을 띰과 동시에 곧 책이 세상에 나올 것임을 알리는 신호이기 때문이다. 가슴이 미친 듯이 두근두근 뛴다. 이때만큼은 내 심장도 우사인 볼트 못지않다. 그 황홀한 들뜸을 여러분도 꼭 만끽할 수 있었으면 좋겠다. 마지막으로 최종 제목을 정하고 인쇄를 마치면 한 권의 책이 세상에 나온다. 이번에는 책이 많이 팔리길. 제발.

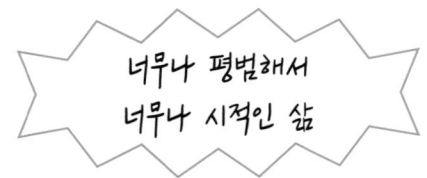

너무나 평범해서
너무나 시적인 삶

　파주에 사는 사람 혹은 파주 출판단지에서 근무하는 출판인들의 발이 되어주는 2200번 경기 광역 버스. 이 버스를 타면 차가 막히지 않는다는 전제하에 30분이면 합정역에 도착한다. 독일에서 서울로, 다시 뜬금없이 연고도 없는 파주에 정착한 나에게 2200번 버스는 소중한 이동 수단이다.

　버스를 타고 오가다 보면 별의별 손님들과 운전기사들을 만나게 된다. 그날의 기사는 유독 쾌활했다. 라디오에서는 퀸의 〈라디오 가가〉가 흘러나왔고 그는 멋진 음악의 춤사위에 참을 수 없다는 듯 온몸으로 음악을 신나게 즐기고 있었다. 처음에는 고개를 까닥까닥했으나 점차 어깨가 들썩들썩, 다리가 두둠칫 두둠칫, 기어를 감싼 손마저 집게손가락에서 새끼손가락까지 차례로 건반을 누르듯 리듬을 타려던 그 순간, 멀미 탓에 맨 앞자리에 앉은 나와 눈이 마주쳐버렸다. 그는 흠칫하는 표정과 함께 손가락 리듬이 새끼손가락까지 차마 가지 못하고 넷째손가락에 멈췄다. 괜스레 내가 흥을 깬 것 같아 미안했다. 영화에서 보면 이럴 때 찡긋 윙크하며 기사에게 엄지척을 날려주는 센스를 발휘하던데 소심한 나에게는 아주 먼 영화 같은 얘기다.

홍에 겨워 자유로를 자유롭게 달리던 버스 기사를 보며, 미국 뉴저지 주의 소도시 '패터슨'에 사는 '패터슨'을 떠올렸다. 그의 일상은 단조롭다. 매일 버스 운전사로 일하고, 저녁에는 아내와 식사를 하고, 반려견과 산책 겸 동네 바에 들러 맥주 한잔하는 것으로 하루를 마무리한다. 우리와 별반 다를 게 없는 그의 하루가 특별한 이유는 자신의 일상을 시로써 내려간 것에 있다. 평범한 삶도 기록하다 보면 다른 의미로 남게 된다는 지극히 당연한 진리를 영화는 패터슨이란 매력적인 인물을 통해 보여준다. 물론 패터슨에게도 위기는 있었다. 그동안 쓴 글을 반려견이 몽땅 갈기갈기 찢어버린 것이다. 그는 엄청난 무력감과 상실감에 빠져들지만, 우연히 만난 일본인 시인에게 빈 노트를 건네받고 이내 다시 펜을 잡는다.

"때론 빈 페이지가 가장 많은 가능성을 선사하죠."

글을 쓴다는 일은 막막하다. 백지는 늘 두렵다. 백지 앞에 우리는 얼마나 자주 주저하고 망설였던가. 백지를 채워야 한다는 부담감은 때로 시작조차 못 하도록 붙들어 매기도 한다. 대체 어떤 내용으로 백지를 메울 수 있을까? 이에 〈패터슨〉의 감독 짐 자무시가 제시한 답은 '관찰'이 아니었을까 한다. 패터슨의 일상은 매일 똑같이 흘러가는 것처럼 보이지만 어느 순간도 같은 순간인 적은 없었다. 우리네 삶에 허튼 순간 같은 건 없으니까. 아주 미세하지만, 어제와 다른 오늘의 순간을 포착했을 때, 백지는 서서히 글자들로 물들기 시작한다. 일상이 기록이 되고 그 기록이 한데 모여 인생이 된다. 우리는 관찰을 통해 스스로가 발견해주길 바라는 '나'를 찾아내야 한다. 이 세상을 영위하는 모든 것이 그렇듯 한 번에 쉬이 이루어지는 것은 없다. 오랫동안 관찰하고 고민한 시간의 결과물이 '글'이다.

일상이 글로 변주된다는 것은 경이로운 일이다. 지리멸렬한 삶일지라도 반복해서 쓰다 보면 의미 있는 무엇이 된다. 꼭 책이라는 완결 형태의 결과물이 아닐지라도 세상에 쓸모없는 글은 없다. 별것 아닌 삶도 쓰다 보면 별것 있는 삶이 된다. 기록이란 까만 밤하늘에 흩어져 있는 별들을 모으는 일이다. 혹은 별 볼 일 없는 삶에 별을 보여주는 일일지도. 그 반짝임이 지난한 오늘을 밝혀주는 노란 희망이 된다.

언젠가 다시 흥겨운 버스 기사를 만나게 된다면 말 없는 엄지척을 날려주고 싶다. 일상의 모든 예술가를 위하여.

❖

패터슨이 매일 시를 썼다면, 폴 오스터의 소설 『오기 렌의 크리스마스 이야기』 속 오기는 매일 사진을 찍었다. 문득 이 두 사람이 만난다면 어떤 이야기를 나눌지 궁금해진다.

오기는 12년 동안 매일 아침 정각 7시, 애틀랜틱 애비뉴의 클린턴 스트리트가 만나는 모퉁이에 서서 정확하게 같은 앵글로 한 장의 컬러 사진을 찍었다. 그렇게 모인 사진들이 4천장. 오기는 날짜만 다른 같은 사진 4천 장을 화자인 '나'에게 보여준다. 무심하게 사진을 넘기는 나에게 오기는 말한다.

"너무 빨리 보고 있어. 천천히 봐야 이해가 된다고."

사진들은 얼핏 똑같아 보였지만 그 안에는 매일 다른 이야기와 다른 주인공이 숨어 있었다.

"그가 옳았다. 차분히 보지 않으면 아무것도 이해할 수 없게 된다. 작은 변화들에 주의를 기울였다. 마침내 매일 조금씩 달라지는 거리의 흐름에서 미묘한 변화가 있음을 파악할 수 있었다. 활기찬 주중의 날들 아침, 비교적 한산한 주말, 일요일과 토요일의 차이……."•

시간은 하찮은 듯한 걸음걸이로 걸어가지만 그 걸음걸이가 모여 '인생'이 된다. 삶이란 건 그런 '내일'을 3만 번쯤 맞이하는 것 아닐까. 어쩌면 '그해 크리스마스에는' 하고 나만의 크리스마스 이야기를 하나둘 모으는 것이 인생일는지도.

우리의 일상이 꿈을 현실로 만들기 위한 시간이라면, 글을 쓴다는 것은 현실을 꿈으로 만드는 시간이다. 너무나 평범해서 너무나 시적인 삶을 꿈꾸며. 그렇게 삶은 시가 된다.

• 폴 오스터, 김경식 옮김, 『오기 렌의 크리스마스 이야기』, 열린책들, 2001년.

글쓰기 루틴 만들기

매일 글을 쓰기는 쉽지 않다. 그렇지만 글을 쓰기로 마음먹었다면, 하루 10분이라도 규칙적으로 쓰는 버릇을 들이는 게 중요하다. 오늘의 글이 켜켜이 쌓여 내 인생의 산증인이 된다.

1. 꾸준함은 배신하지 않는다. 새벽 혹은 퇴근 후 밤 11시 등 하루에 10분만이라도 글을 쓸 시간을 규칙으로 세운다.
2. 글쓰기 전 나만의 루틴을 만들어본다. 인센스를 켠다거나 룸스프레이를 뿌린다거나, 커피를 내린다거나, 연필을 깎는다거나, 음악을 튼다거나, 안경을 쓴다거나……. 내 취향에 맞는 방법을 택해보자. 지금껏 나는 커피를 내리고 음악을 틀었으나 최근 인센스를 태우는 것으로 글

쓰기 루틴을 시작하고 있다. 이는 글을 쓸 거라고 뇌에게 주는 신호라고 할 수 있다. 두뇌에 습관을 입력하는 행위이기도 하다. 인센스를 켜면 뇌는 곧 글을 쓸 예정이란 걸 눈치채고 명령을 내릴 것이다. 글쓰기를 위한 몸과 정신을 가동시키자!

3. 블로그, 인스타그램, 브런치 등 글을 올릴 계정을 만들어본다. SNS를 적극적으로 활용하는 이도 있고 그렇지 않은 이도 있겠지만, 소셜 미디어는 나만의 기록이 될 뿐만 아니란 내 글에 대한 대중의 반응을 가늠할 수 있고, 잘만 하면 출판의 기회로 이어질 수도 있다.

4. 하루 한 줄 쓰기 원칙을 세우자. 정 쓸 게 없다면 오늘의 날씨, 오늘 먹은 음식에 대해 써보는 것도 가벼운 마음으로 글을 시작할 수 있는 방법이다.

5. 무엇보다 '나는 쓰는 사람'이라는 자기 암시를 잊지 말자! 상상하면 사랑하게 된다. 멋진 작가

가 된 나의 모습도 좋고, 글 쓰는 나의 모습을 어여삐하며 자주 상상해보자. 그리고 사랑해 주자.

이렇게 해도 글이 안 써질 때가 있다. 그래서인지 수강생이나 주변인에게서 '글이 안 써질 때 어떻게 하나요?'라는 질문을 자주 듣는다. 딱히 뭐라고 답해주기 어려운 물음이다. 이 질문은 직장인에게 '회사 가기 싫을 땐 어떻게 하나요?'라고 묻는 것과 같다. 회사에 가기 싫어도 출근할 수밖에 없는 것처럼, 글이 쓰기 싫어도 생계형 작가는 쓸 수밖에 없다.(마감 압박이······)

작가라고 해서 뾰족한 수가 있는 것은 아니지만, 가끔 사용하는 방법 중 하나로 영화 감상이 있다.(깜짝 놀랄 만한 묘안이 아니어서 미안합니다.) 물론 책을 읽기도 하지만, 제아무리 직업이 작가라도 글마저 읽기 싫을 때가 있기 마련이다. 그래도 양심은 있어서 영화 중에서도 특히 작가의 일대기를 담았거나 글과 관련

된 영화를 보는 편이다. 〈시〉, 〈파인딩 포레스터〉, 〈비커밍 제인〉, 〈디 아워스〉, 〈미스 포터〉, 〈콜레트〉 등 문학을 주제로 한 영화는 많다. 같은 영화를 두 번 이상은 잘 안 보는 내가 거의 유일하게 반복해서 본 영화는 〈패터슨〉이다.

그럼에도 안 써지면 억지로 붙들고 있진 말자. 다시 글이 쓰고 싶어질 때 펜을 들면 된다. 인내심이 많은 '글'은 언제나 든든한 모습으로 우릴 기다리고 있으니까.

삶에 지지 않는 용기

"피의 시대, 땀의 시대를 지나 지금은 눈물의 시대다."●

이어령 선생님의 말씀은 시대를 꿰뚫어 보는 통찰이 있다. 우리는 피의 시대, 한국전쟁을 지나 땀의 시대, '잘 살아보세'를 외치던 70~80년대 개발도상국 시대를 넘어왔다. 열심히 일했던 사람들이 비로소 자신의 마음을 들여다보기 시작했다. 그동안 애썼다고, 얼마나 고생이 많았느냐고, 서로를 쓰담쓰담 해주는 위로와 공감의 손길, 같이 눈물을 흘려주길 바라는 '눈물의 시대'가 도래했다.

● 「암 투병 중인 이어령 "죽음이 목전에 와도 글 쓰겠다"」, 2021년 1월 3일 조선일보 김윤덕 선임기자와의 인터뷰 참고.

물론 '글이 밥 먹여 주냐'던 시절이 있었다. 글은 비생산적인 행위이자 소위 잉여 시간이 많은 사람이나 하는 일종의 사치라는 선입견. 바쁘게 살아오며 나를 위한 한 줄조차 사치라고 생각했던 사람들이 글을 쓰기 시작했다. 글쓰기 수업에 참여한 남자분이 이런 말을 했다.

"그동안 사는 게 바빠 글쓰기 같은 건 사치라고 생각했어요. 삶에 치이며 살다 어느 날 거울을 봤는데요……. 그러니까…… 내가 없더라고요."

그는 여태껏 사랑하지 못한 나를 껴안아주기 위해 글을 쓰기 시작했다. 문장은 서툴렀지만, 단어 하나하나에 진심이 가득했다. 글쓰기가 사치라면, 그 사치를 매일 누릴 수 있는 나날은 얼마나 행복한 일인가. 나아가 외로운 마음이 풍요로워질 수 있다면, 때로 뜨겁게 눈물 흘리고 스스로 닦아낼 수 있는 힘이 생길 수 있다면, 얼마나 황홀한 일인가.

눈물의 시대에는 응당 글쓰기가 필요하다. 물론 글쓰기가 눈물을 백퍼센트 웃음으로 바꿔줄 거라고 기대하진 않는다.

다만 내 마음을 스스로 책임지고 위로할 수 있다면, 비루한 삶에 맞서 지지 않을 용기를 얻을 수 있다면, 그것만으로도 우리가 글을 써야 하는 이유가 된다.

마음에 겨울이 찾아올 때면 글을 쓴다. 꽁꽁 언 땅에 '나'라는 씨앗을 심고 겨우내 수많은 밤을 헤매면서 기어코 헤쳐 나간다. 몇 번의 폭설과 비와 바람이 지나가고 비로소 뜨거운 태양 아래 이제는 참지 못하겠다는 듯 꽃을 피워낼 때, 우리네 계절에도 봄이 온다. 겨울이 찾아와도 더는 춥지 않다.

감사의 말

내가 쓴 글은 순전히 내 글일까? 가끔 글의 주인에 대해 그러니까 소유자에 대해 생각해보곤 한다. 내가 썼지만 근원적으로 보면 누군가와의 관계, 자연이 주는 크고 작은 아름다움, 아주 오래전부터 내려온 책 등 여기저기서 신세를 졌다. 그러니 받아 적고 빌려 적었다는 편이 맞다. 내가 쓴 글이되 내 것만은 아닌……

특히 이번 책은 많은 이들의 도움을 받았다. 20여 년 동안 글쓰기로 밥벌이를 할 수 있게 도와준 의뢰자들, 울퉁불퉁한 초고를 매끄러운 교정으로 다듬어준 모요사출판사, 소중

한 글을 실을 수 있도록 허락해준 '다독이는 글쓰기'의 수강
생들, 번뜩이는 아이디어로 영감을 준 '슈필라움 글쓰기' 어
린이들, 그리고 무엇보다 뜨거운 가슴과 빛나는 언어를 빌려
준 위대한 저자들에게 깊은 감사를 전한다. 이 책 또한 누군
가에게 빌려 쓰이길 바란다.

나를 위한 글쓰기 수업

ⓒ 강가희, 2023

초판 1쇄 발행 2023년 11월 27일

지은이	강가희
펴낸이	김철식
펴낸곳	모요사
출판등록	2009년 3월 11일 (제410-2008-000077호)
주소	10209 경기도 고양시 일산서구 가좌3로 45, 203동 1801호
전화	031 915 6777
팩스	031 5171 3011
이메일	mojosa7@gmail.com
ISBN	978-89-97066-87-2 03800